A **Silvio** y **Nicanor**,
por la herida y por la luz.

Cuando les pregunten: ¿De quién tú eres?
Siempre respondan: ¡Mío!

PARIR ES PARTIRSE

Edmaris Carazo y Ana Teresa Toro

Créditos:
Título original: **Parir es Partirse**
ISBN: 978-1-951409-13-5

Primera edición: diciembre de 2020
Ilustraciones: **Sharon Nichole González Colón** | arte.s.alguien@gmail.com
Coordinación editorial: **Ágora Cultural Architects, LLC**
Editora de textos: **Carmen Rodríguez Marín** | cantoesdrujulo@gmail.com
Diseño y diagramación: **Lydimarie Aponte Tañón**

parirespartirse.com

Índice

TU-YA

PARTE I
EL PARTO NO SE ACABA

Edmaris Carazo

Con el útero en la mesa

Los treinta y tres han sido una edad dura para mí. Sospechaba que pasaría, ya que tuve una tía que murió a esa edad. En los últimos cinco meses, cada vez que alguien me pregunta mi edad (cosa que no entiendo cómo sigue pasando, ni con qué fines), luego de mi: "treinta y tres", quizás el 89 % de las veces recibo el consabido: "la edad de Cristo". Automáticamente pienso en un hombre crucificado, ensangrentado, muriéndose en una cruz. Sin embargo, la gente lo suelta con cara de piropo, de alegría, casi de felicitación. El diálogo suele ir en franca decadencia a partir de ahí: *¿y tú no tienes hijos?, ¿para cuándo lo vas a dejar?* Para mí, esto es como cuando alguien te dice que estás gordo, o que tienes un barro en la nariz. ¡Mil gracias por tu valiosa aportación; no tengo espejos; no tengo pesa en mi casa; no me había dado cuenta de que ya no me sirve la ropa; no sé qué me habría hecho si no me lo hubieras notificado!

Sé mi edad y he leído 33,333 artículos que dicen que después de los treinta y cinco la fertilidad decae y los embarazos suelen tener complicaciones. Incluso, tengo una amiga que al decirle a su ginecóloga que quería embarazarse a sus treinta y seis años, aquella le entregó su récord y le recomendó que se atendiera con un especialista en embarazos de alto riesgo. A tono con esto, he recibido la pregunta de *¿y no están buscando todavía?*, no ya de una tía, ni de mi madre, ni de mi suegra, sino de meros conocidos, gente del trabajo, amigos de amigos, doctores... ¡hasta de gente que me atiende en el *laundry*, en el correo, en un café!

La pregunta sobre en qué estatus está mi orden con la cigüeña viene acompañada de mil preguntas subyacentes que estoy segura de que nadie en su sano juicio le haría a un conocido, y ni hablar de a un particular. Me estás preguntando, básicamente, si me acuesto con mi marido. Estás indagando sobre si uso o no métodos anticonceptivos, y evaluando su efectividad. Me estás cuestionando sobre si llevo un calendario con mi ciclo menstrual. Estás poniendo en juicio las capacidades reproductivas de mi cuerpo y las de mi no tan nuevo cónyuge. En este punto, ya voy barajando las contestaciones punzantes y antipáticas. Soy fiel creyente de que el vicio de preguntas impropias se cura con la virtud de contestaciones desafiantes. *¿Por qué preguntas? ¿Te doy mi cuenta bancaria para que empieces a pasarme pensión desde ya? ¿Te estás ofreciendo a cuidarlos cuando nazcan, cualquier día y a cualquier hora? Mano, pues meto mano bastante, pero no me preño.* O cuando quiero herir de verdad digo: *fíjate, quedé embarazada hace nueve años y lo perdí; a lo mejor soy estéril.* Es verdad. Y es una verdad bien común. Y es una verdad que le revuelca a uno la bilis y la tristeza cada vez que alguien te la destapa.

Tengo amigas que han parido bebés muertos. Tengo compañeras que han estado años esperando completar un proceso de adopción. Cuando la gente mueve la lengua, y saca temas como cuán retrasados están tus ovarios, no consideran que quizás esa misma mañana measte en un palito y te salió otro negativo. No piensan que quizás llevas años negociando con tu pareja para juntos tomar la decisión más grande de sus vidas. Siempre lo digo: la persona que hay que escoger con mayor cuidado y escrutinio es el padre o la madre de tus hijos; y los compromisos más grandes de la vida son: los hijos, las hipotecas y los matrimonios. En ese orden. Los matrimonios tienen la opción del divorcio son caros, dolorosos y traumatizantes, pero existe un proceso legal para revertir esa decisión); comprar una propiedad con alguien es una obligación contraída mucho más duradera y garantizada que una boda (al banco no le va a importar que a los cinco, doce o veinte años los contrayentes hayan dejado de soportarse: la deuda se paga, con o sin amor, con o sin diferencias irreconciliables, y esos treinta años no se diluyen con una petición *ex parte* al tribunal). Los hijos, por otro lado, duran lo que dures vivo. Y la persona con la que decides reproducirte, aunque deje de ser tu amante, tu novio, tu jevo, tu esposo, seguirá siendo el padre o la madre de tus hijos, el abuelo o la abuela de tus nietos y por ahí pa'bajo, según la longevidad de la pareja y según se multiplique tu descendencia por los siglos de los siglos amén.

Yo les he tenido pánico a los hijos toda la vida. Aunque no fue como licencia para matar, sino como remedio médico a otras condiciones, empecé a usar pastillas anticonceptivas a los diecisiete años. Una astróloga me señaló una vez que yo le había declarado tanto a mi cuerpo que no quería ser madre, que mi cuerpo me lo creyó, y que podía tomar años convencerlo de lo contrario. Entonces, he logrado planificar de 4 a 7 viajes en los últimos seis años para conseguir diversas prórrogas a la llegada de los bebés. Cuando por fin me convencí(eron), llegaron: un huracán, el Zika, la microcefalia, los miedos, las dudas. Lo peor es que, además, han llegado nuevas presiones a mi útero. Del otro lado del cuadrilátero tengo a gente con hijos, que al parecer se siente en la genuina responsabilidad social de convencerme de que lo piense bien: que aproveche ahora, porque después de los nenes, nacarile; que yo no tengo ni idea de lo que es estar realmente cansada; que está BIEN difícil; que nunca más voy a volver a dormir; que le diga adiós a mis viajes; que me despida de mi vida sexual; que la vida como la conozco, básicamente, se acaba (suele ser la misma gente que en redes sociales proclama la felicidad que le trajeron estos pequeños torturadores). Justo lo que necesitan mis ovarios: más miedo escénico, más historias de horror, más razones para seguir en huelga de óvulos caídos. También tengo respuestas odiosas para ellos: *¿Y antes de tener hijos viajabas mucho? ¿Y tu pareja no te ayuda? ¿Y por qué tienes tres? ¿Y cómo te has vuelto a preñar? ¿Y, de verdad, te tomó por sorpresa que un ser humano adicional se tradujera en TANTAS horas extras?*

Estoy convencida de que la manera más fácil de embarazarse es estando borracho, mucho más joven de lo ideal y de la manera más "accidental" posible. La mamá de una de mis mejores amigas tiene nueve hijos, y me dice que nunca habrá un momento perfecto para tenerlos, como tampoco lo hay para mudarse, cambiar de trabajo, casarse, comprar casa o viajar. Siempre me dice que esto es como meterse a una piscina fría: si lo piensas demasiado no te tiras. Buscar bebés, contrario a lo que uno vive temiendo de joven, no es ni fácil ni divertido. Es estresante, poco romántico, calculado, engorroso y poco natural. No quiero tener un calendario para estrujarme. No puedo seguir persiguiendo a mi marido con un palito con carita feliz que dice que en las próximas 24 horas voy a ovular. No es gratificante comprar pruebas de embarazo en vez de tampones dos días antes de caer. No necesito más preguntas sobre mi ingesta de ácido fólico y si estoy subiendo las piernas hacia el techo después de terminar.

Mi plan es mucho más sencillo. Seguiré siendo zafia en mis respuestas. Implacable ante las invasiones a mi útero y a mi vida sexual en general. Me seguiré yendo de viaje (por si acaso los padres cansados sí tienen razón). Intentaré emborracharme, preferiblemente los días 11, 13 y 15 del ciclo, creerme que tengo 18 años, y que le tengo pánico a un positivo. Probablemente la psicología inversa funcione y consiga preñarme al filo de los treinta y cinco, como todo en mi vida: acariciando el borde, de la manera no recomendable, la más complicada, casi casi de alto riesgo.

No hay nada menos sexy que buscar bebés adrede

Mi suegra fue mi maestra de salud y ética cristiana en cuarto año de escuela superior. Lo que significa que la madre de mi actual —no tan nuevo— cónyuge fue la responsable de enseñarme —a mí, y a otras 138 personas de mi clase, y de la clase de mi marido, y de la clase de mi hermano— las partes, las funciones y los ciclos del sistema reproductor humano. Quizás por eso, la primera vez que nos encontramos, una década después de haberme graduado (saliendo ya oficialmente con su hijo), en menos de media hora ya estábamos hablando de cuánto habían subido de precio las pastillas anticonceptivas. Recuerdo a mi entonces novio con cara de pánico, cuestionándome cómo en lo que él iba a la barra a pedirme un Don Q con Diet Coke ya yo estaba hablando de los precios de la píldora con mi recién estrenada suegra. Pero, como ella misma dice: yo la conocí a ella primero.

Fue mi maestra de salón hogar. Le contaba cosas. Me conoció cuando yo aún tenía la capacidad de ruborizarme y sentir pudor. En una de aquellas lecciones suyas, en clase hablaron de que una persona podía embarazarse con apenas un brochazo. Mi cara, que siempre me delata, parece que reflejó mi inocencia de entonces. Mi suegra me preguntó si sabía lo que era eso, y procedió a explicarme. De más está decir que los tremendos seres humanos de mi clase estuvieron ofreciéndome demostraciones gráficas por el resto del semestre.

Recuerdo cómo en la clase estudiamos la plétora de métodos anticonceptivos y sus respectivos porcentajes de efectividad. Me acuerdo claramente de cuando hablaron del condón femenino, de que cada día caía más en desuso, y de que una de las razones por las que no era de los métodos favoritos era el ruido. No sé por qué, pero luego de eso tengo una vívida imagen de todos frotándonos el pelo contra las orejas, porque en nuestras cabezas ese era el sonido que se producía con la fricción. Muchas de las otras lecciones no fueron nuevas para mí, ya que tomo pastillas anticonceptivas desde mis diecisiete años por sufrir de quistes en los ovarios y menstruaciones atrozmente dolorosas. Sin embargo, una que se me grabó en la mente para siempre fue: *10 sí, 10 no, 10 sí.* El famoso ritmo. Se la transmití a mi hermano tal cual, ya que presumí que sería más precoz que yo, y que podría necesitar saber esto antes de que se lo enseñaran en la escuela católica. Desde el primer día de la menstruación (ese es el día uno) hasta el día 10, se podía tener relaciones sexuales sin quedar embarazada. Los próximos diez días quedaban vedados. Los últimos diez días seguía la fiesta, y luego se repetía el ciclo desde el principio (ciclo al fin). No es un método 100 % seguro; lo único 100 % seguro es la abstinencia (convenientemente), y el ritmo solo funciona si la mujer es regular, porque se parte de la premisa de que ovulas en el día 15, y así evitas tener relaciones cinco días antes y cinco días después. No recordaba mucho más. El cuerpo humano y su milagrosa capacidad de reproducirse se enseña desde la perspectiva de evitar el embarazo. Así que vivimos nuestra juventud celebrando menstruaciones como quien esquiva una bala, mes tras mes.

Entonces, un día, de la nada te convence, te convencen o te convences de que estás lista, tan lista como sea posible. Porque la realidad es que uno jamás está listo para las grandes cosas. Nada te prepara para ponerte a la disposición de la naturaleza y lanzar esa moneda al aire, cerrando los ojos y repitiéndote —hasta que casi logras creértelo— que todo pasará como tiene que pasar. Dejas las pastillas, el parcho, los condones, el ritmo… pero no puedes dejar de hacer cálculos. Empiezas a tomar 800 miligramos de ácido fólico, solo para descubrir ¡al año! que se suponía que consumieras más si estás buscando embarazarte.

Mis primeros intentos fueron un desastre. Tenía unos nervios cuasi virginales y me daban las paveras más anticlimáticas que un ser humano pueda imaginar. Después de tantos años (no voy a decir cuántos, porque mi madre me lee y no quiero que haga cálculos) haciendo responsablemente todos los malabares para salir invicta, independiente, liviana, el notificarle al cuerpo que se acabó la huida, le resultaba imposible de procesar. Me sentía un poco como en unas clases de trapecio que nos regalé cuando éramos concubinos: el maestro me decía que me acercara al borde de la plataforma, que agarrara el tubo del trapecio y me inclinara hacia al frente, pero mi cuerpo se resistía y se echaba hacia atrás —cuerpo felino ante la amenaza del agua, cuerpo vapuleado que le teme tanto y tanto a la caída—. Me parecía antinatural inclinarme hacia el abismo. Al final del día, intentar tener bebés con intención y alevosía se siente como una maroma que se practica sin malla, una acrobacia circense tan arriesgada como espectacular.

Una intenta hacerlo natural. Sencillamente el no evitarlo, tarde o temprano terminará en un embarazo, ¿no? ¿No es esa la matemática? Es lo que siempre le digo a la gente que queda embarazada por accidente: tienes relaciones sin protección, ¿no sospechabas que podía pasar? ¿Tan poca fe le tienes al cuerpo? Pero no, no funciona así. Bueno, si eres menor de edad, aparentemente pasa así. Pero si esperas a tener una pareja estable, un trabajo que te satisfaga, terminar tu carrera (o tus carreras), dar unos viajes antes (por si te toca un bebé que sea una pesadilla en los aviones), intentar pagar parte de tus préstamos estudiantiles, decidir si compras casa o no, esperar a sentirte someramente listo o a que ambos estén en la misma página, de pronto estás en el grupo demográfico de embarazos de alto riesgo o de embarazos geriátricos. Y las presiones suben. Y, aparentemente, la fertilidad baja. Y el cliché de que la juventud se desperdicia te pone de mal humor. Y empiezas a contar tu vida de veintiocho en veintiocho días. Y en vez de celebrar la regla, se convierte en una derrota mensual. Y le hablas al cuerpo, y le explicas que, aunque por más de una década el procedimiento operativo estándar era evitar a toda costa un óvulo fecundado, la directriz ya cambió.

Y sucede que te sientes engañada. Porque no recuerdas que nadie te hubiese dicho nunca que un óvulo tiene apenas cuarenta y ocho horas de vida, como máximo; y los espermatozoides, setenta y dos. O sea, que la ventana de oportunidad es bien pequeña. Dos días. Dos días al mes, veinticuatro días al año, como mucho. Y te ríes de todo el pánico que tuviste de chamaca. Y piensas en que no hay cosa menos sensual que una calculadora. Que no hay nada menos erótico que calendarizar el amor del cuerpo. Que contrario a lo que quizás creías, no es halagador decirle a un hombre que *le toca* hoy. Dicho sea de paso, te sorprenderá la ínfima cantidad de veces que ovulas en fines de semana. Una vez más, ¡qué muchos miedos infundados! Confirmas lo que siempre habías sospechado: tu cuerpo te sabotea. Nada como ovular un lunes. Y encima, la naturaleza, será muy sabia, pero tiene un humor más negro que la noche; así que cuando ovulas, muchas veces tienes dolor y malestar en el abdomen. Y nada como el dolor y el malestar para uno sentirse en el *mood* de hacer bebés.

Cuando ya has gastado cientos de dólares en pruebas negativas, piensas que quizás no estás ovulando cuando crees que estás ovulando (a estas alturas ya dudas del conocimiento que tienes de tu propio cuerpo). Así que descubres una cosa maravillosa (que pudiste haber usado como método anticonceptivo en el pasado de haber conocido su existencia): un kit predictor de ovulación. Funciona básicamente como las pruebas de embarazo: orinas en ella, y ella detecta cuando hay un incremento agudo en la hormona LH, y esto significa que ovularás en un par de días. Cuando esto pasa, aparece en la ventanita de la prueba una carita feliz parpadeando; hasta que un buen día (cuando por fin ovulas) la carita feliz aparece, pero esta vez quieta, sin centellear. Entonces, en vez de enviarle un mensaje fresco a tu pareja, solo le enseñas la carita feliz. En vez de disimular y dejar que la cosa fluya, lo despiertas, palito de prueba en mano, con la dichosa carita feliz estática que ya se ha vuelto pavorosa. Y todo se convierte en una mierda.

Superada la escena, decides que te encargarás de todo sin dejarle saber. La operación estará en tus manos; no hay por qué informarle a todo el mundo de tus cambios hormonales. Pero un miércoles cualquiera, él llega hecho cantos de un día de trabajo terrible, y tú, de la nada, estás embutida en lencería nueva y trepada en tacos a las nueve de la noche, y no es ni tu aniversario. Y terminan meándose de la risa por tu nuevo fracaso en el arte de fluir.

Es entonces cuando recuerdas lo que aquella astróloga sentenció: que le habías dicho a tu cuerpo tantas veces que no querías tener bebés, que el cuerpo no se preparó. Recuerdas, el vidente que te contaba que te veía con niños de colores (y tú sin saber si serías la próxima Angelina Jolie, adoptando niños del mundo, o si tendrías niños de muchos padres… o si, sencillamente, serías la tía de todos los niños de tus amistades).

Escuchas al médico diciéndote que podrían esperar, a ver si las células precancerosas se iban solas, monitorearlas por meses; y entonces te oyes clarita diciendo: congela y corta, que no me importa. Concluyes que es tu culpa, ¿de quién más? Deciden hacerse pruebas para eliminar cualquier sospecha, o confirmarla. Días de espera, dedos cruzados, velas prendidas. En el proceso, él te dice que si no pueden tener hijos, no importa la razón, que lo manden todo al carajo y se vayan a viajar al mundo. Y te sientes abominablemente culpable porque la idea te calienta el pecho y te relaja el vientre. Te preguntas si esto es lo que quieres en realidad, si no es que logró vencerte la presión social a la que siempre te has cantado inmune. Pero recuerdas claramente aquel arte que te craqueó el espíritu: "nunca supe que quería ser mamá hasta que tuve un aborto". Entiendes de repente aquella película donde ella decía que sus ganas de ser madre eran como la necesidad de hacer pipí: algo que le debilitaba el cuerpo, que le hacía temblar involuntariamente las rodillas. Ves ante ti a este tipo que se hace el que no le duele cuando lloras y te bajas una botella porque de nuevo te llegó la regla; que te dice "no pasa nada", mientras pareciera que todo el mundo alrededor se embaraza, menos tú. Y aunque nunca has sido de compararte con los demás, te preguntas por qué tú no. Y las preguntas de la gente como flechas en tus tajos. *¿Y ustedes, pa' cuándo?*

La única certeza que tengo es que, si a alguien he amado capaz de traer al mundo un ser que lo mejore, ese es este hombre. Y sé también que, aunque yo sobreviviría el no poder tener, como otra herida de guerra, a él la herida muda se lo comería por dentro.

Los resultados dicen que todo está en orden. Es cuestión de tiempo. Así que toca relajarnos. Planificamos el próximo viaje, pero no más lejos de seis meses porque tampoco hay que actuar derrotados. Boto los equipos predictores, elimino las aplicaciones, ignoro los dolorcitos quincenales. Recordamos lo rico que era vivirnos la vida descalendarizados. Ni contamos ni los evitamos, pero pongo las piernas en el aire cada vez que terminamos.

A secas

Hace unos cuantos meses tuve la suerte, y la presión, de llevar a cenar a una agente literaria de renombre. ¿A dónde una lleva a una superhéroe nuyorquina y a su hija a cenar? Resultaba una misión épica el solo escoger un restaurante, porque si algo aquí hacemos soberanamente bien es comer… y cocinar. Indagué sobre sus preferencias y me aseguré de preguntar si tenían alguna alergia o necesidad alimentaria especial. Intenté escoger un lugar en Santurce que no se sintiera turístico, que no fuera demasiado caro (porque iba a hacer todo lo posible por pagar yo) que tuviese el *flair* boricua sin que fuese demasiado típico, que pudiésemos hablar, que nos trataran bien y que tuviesen una buena barra, con variedad de licores nítidos, cocteles —chulos y clásicos— bien hechos. Así empecé la intro: la barra está brutal, amo tal y tal trago; este ron no lo tienen en ningún lado; estoy enamorada de esta ginebra. Ella sonrió amablemente y me dijo sin ningún tapujo: ningún trago para mí, soy alcohólica en rehabilitación; el mero contacto con una sola gota, y la pasaríamos mal, muy mal. Venga entonces la profunda vergüenza. El calentón en el cuerpo. Mi falta de sensibilidad, de previsión; no pensé en eso, no se me ocurrió, jamás me había pasado algo así. En nuestro país hablamos de alcoholismo para referirnos a abuelos que se beben hasta el alcoholado, vagabundos y deambulantes, personajes de películas y series, o en broma, para hablar de esa bebelata social y pachanguera que nos caracteriza, pero hasta ahí. Si ingerir alcohol no te ha hecho estrellarte, si no te han arrestado, si no has perdido un trabajo o destruido una relación humana por tu relación con el alcohol, no eres alcohólico, aunque no recuerdes la última vez que pasaste una semana entera sin beber, aunque empieces a beber cada vez más temprano, aunque tu tolerancia vaya *in crescendo* independientemente de tu edad, peso y condición física.

Llevo setenta y cinco días sin beber. Sé que contar los días suena más como un acto de profunda afición a la bebida que como una celebración de sobriedad. Pero somos una isla alcohólica. Festivamente, culturalmente, cotidianamente y aceptablemente alcohólica. La realidad es que sería muy poco probable integrarnos a los listados de los países más felices del mundo sin un poco de ayuda. No es casualidad que de las pocas cosas que todos recuerden del somero repaso que hacen nuestras clases de Historia en la escuela, una de ellas sea el famoso *baile, botella y baraja*. Y si hay una época en la que el alcoholismo está requetepermitido, y hasta altamente recomendado, es en Navidad. Pasé Halloween, Acción de Gracias, mi cumpleaños, Nochebuena, Navidad, despedida de año, primero de enero, víspera de Reyes, Día de Reyes, absolutamente sobria.

Quisiera decir que ha sido hermoso y que he tenido grandes revelaciones sobre la magia de estar conectado con tus sentidos las veinticuatro horas del día sin ninguna pausa que no fueran las horas del sueño. Pero, al menos para este cuerpecito mío, y en especial para esta mente mía, ha sido intensamente devastador o, mejor dicho, devastadoramente intenso. Me acuerdo de todo. Nunca tengo resaca. Tengo clarísimo lo que he hecho, lo que he dicho, las metidas de pata sin excusas etílicas, las crueldades que han sido fruto de mi cerebro sin estimulantes, la falta de paciencia que he tenido hacia los comentarios inoportunos y los contactos no solicitados. El día me da para muchísimo más. Me levanto temprano (como siempre), pero sin malestares corporales ni nubes trasnochadas en la cabeza. Duermo mejor que nunca, para mi sorpresa. Es lo que pasa con el alcohol, sientes que te tumba, pero realmente causa insomnio; crees que te sube el ánimo, pero químicamente es un depresivo; es líquido, pero te deshidrata.

No me malinterpreten, no tengo la cara para sermonear en pro de la abstinencia. Sin embargo, para mí siempre ha sido un mal jevo delicioso, un mal hábito que te simplifica un chin la existencia, una manía que ni te mejora ni te detiene. Mis papás no beben, y en estos meses de mi vida a secas se han ganado una nueva admiración. Llevan más de cuarenta años juntos, sin darse un palo para no insultar al otro. Sin darse una copa al llegar a la casa porque el día ha estado duro. Bebiendo refresco en la playa y jugos naturales con las comidas. Dicen que no se extraña lo que nunca se ha tenido. Sin embargo, yo, que he trabajado en hotelería, estudiado Derecho, trabajado en publicidad y escrito libros, más de una vez he pensado en añadir a mi inventario de vicios alguno nuevo, cuando el café y el vino se me han hecho cortitos para bregar.

No beber durante las fiestas me ha dejado claro que en Puerto Rico no beber es el problema. Es una decisión que socialmente no está bien vista. Nuestra hospitalidad usualmente se traduce en invitar al trago. Tengo una amiga italiana que quedó sorprendidísima cuando en su cumpleaños no la dejaron pagar ni una cerveza. Cuando llegas a una casa, y te ofrecen vino, cerveza, pitorro, coquito, ron, y todos los espíritus destilados habidos y por haber, y dices que no estás bebiendo, la decepción es palpable. Cuando, en un jangueo, alguien va a pagar el *round*, y tú dices que quieres jugo de parcha, te preguntan que si con Tito's o con Don Q; cuando dices que estás bebiendo Perrier, te miran con cara de susto o de risa o de sospecha. Entonces te preguntan directamente: *¿estás preñá?, ¿estás enferma?, ¿estás tomando antibióticos?, ¿estás a dieta?, ¿estás en detox?, ¿te sientes* *mal?, ¿tienes hangover?, ¿te encontraste con el Señor?* No nos cabe en la cabeza que la gente no quiera beber. Hace falta una excusa para no hacerlo; no al revés.

El alcohol es el lubricante social por excelencia. Ser adulto es cansón, y un traguito te aliviana, te suelta un poco los hombros y los juicios (entre otras cosas). La gente parece más graciosa, y hasta más interesante. El tiempo se va más rápido. No es solo una percepción: como el alcohol hace más lento el funcionamiento del sistema nervioso, se bloquean ciertos mensajes que intentan entrar en la mente; así que tu percepción está alterada, uno se mueve distinto, se siente distinto. Me gusta más la gente cuando bebo. Quizás, hasta me gusto más yo, soy menos arisca, menos consciente, menos juiciosa, menos estresada, más abierta, más sorda... y, tristemente, también más gritona, más peleona, más repetitiva, más volátil, más llorona y mucho más desconsiderada.

Salivo, literalmente, cuando observo a alguien tomarse un buen vino con un plato de comida, pero sobria, no he perdido ni una sola discusión por no poder recordar lo que dije la noche anterior. Además, creo que es la primera Navidad en la que no aumento de peso, ni me siento intoxicada al comenzar el año. Tengo la piel más bonita y me he permitido comer muchos más dulces, como recompensa. Voy a volver a beber en algún momento, de eso estoy segura. Pero no creo que se me pase nunca la empatía con esos seres que se chupan una noche sobrios mientras observan la decadencia inevitable de todos a su alrededor. Seré más compasiva con el que es testigo en cámara lenta de los cambios de personalidad de sus amigos y familiares. Tampoco indagaré en las razones para su abstinencia: que si es porque llegó a las 200 lbs., porque quiere estar más saludable, porque hizo un papelón por beber de más, porque está tratando de quedar embarazada, porque quiere correr un maratón o porque sencillamente ya no se gusta cuando bebe. Volveré a beber, me lo prometo. Pero también me juro que no dejaré de tener en cuenta que para alguna gente el alcohol fue un jevo terrible, violento y maltratante, con quien volvió más de una vez, y con quien solo puede terminar sana y salva, cortándolo de raíz.

Il miligri di li vidi

Quizás porque todavía no me lo creo. Quizá porque hace años vivo con un miedo torero a que las cosas bonitas que me pasan, si les presto mucha atención se deshagan. Quizás porque todo el mundo tiene razón y uno nunca está listo del todo. Quizá porque nada se siente como pensaba que se sentiría. Quizás porque mis reacciones han sido, como siempre, tardías. Quizá porque apenas estoy comenzando a aceptar que ahora mi mente cuenta en semanas. Quizás porque no reconozco mi cuerpo en el espejo y por eso pareciera que es a otra persona a quien le está pasando. Quizás porque llevo 111 días totalmente sobria, y mi propio cerebro no sabe qué rayos hacer con tanta intensa claridad. Quizás por eso es que no he ideado un anuncio oficial. Probablemente por eso he estado escondiendo las preguntas y felicitaciones de mis redes sociales (más por nerviosismo que por privacidad). Pero ya no se me hace posible escribir de ninguna otra cosa, sin sacar del medio este bloque que me dificulta la inspiración, y hasta el respirar.

Me doy; las hormonas me pudieron. Me rindo, ya literalmente no quepo. No quepo en temas pequeños, y no quepo en mi propia ropa. Estoy embarazada. Estoy encinta. Estoy bien preñá. Y no he dejado de buscar, sin lograr encontrarlo, un poema de José Luis Vega que decía algo así como: *preñada, llena de luz, triste como un paraguas*. Me fascinó desde el primer encuentro, probablemente porque —bruja al fin—, desde hace más de una década presentía el revuelco de todos mis barruntos que implicaría lograr un embarazo.

Hace apenas un par de días, una amiga me preguntó, con toda la naturalidad del mundo, si me gustaba estar embarazada. Yo me reí textualmente (porque esto pasó en un mensaje privado de Instagram) y le dije lo mismo que digo cuando en una entrevista de trabajo me preguntan que dónde me veo en 5 o 10 años: *¡qué pregunta tan grande!* No debería haber respuestas incorrectas, pero siempre las hay. Creo que la vida, o la sapiencia de mi cuerpo, hizo que no fuese tan fácil lograrlo para que me lo cuestionara, para que tuviera oportunidad de quitarme, de querer otra cosa, de decidir si esto era para mí. La realidad es que aún tengo dudas, como tengo dudas cada vez que escribo, cada vez que cocino algo nuevo, cada vez que acepto un nuevo trabajo, cada vez que compro pasajes. No sé existir sin dudas.

Pero el elemento del miedo sí ha sido bastante nuevo para mí. No tuve un momento de celebrar mi embarazo como en las películas, no salté de la emoción, ni le llené la casa de globos a mi marido. Se me han salido lágrimas. Se me suelen salir en la ducha cuando me abrumo. Me las tragué cuando vi un punto centellear en la pantalla de un sonograma; me las bebí después de conocer a mi brillante obstetra, quien, sin media onza de tacto, logra que cada cita se convierta en un inventario de posibles enfermedades congénitas, deformaciones y defectos, que va descartando con cada nueva prueba, regalándome (como mucho) un minuto y medio de paz, solo para recomendarme una prueba adicional. Creo que extrañamente ver y reconocer un piecito en la pantalla del monitor ha sido de las cosas más mágicas que he sentido. Sí, soy tan emocionalmente deforme que lloré más al verle un pie que al escuchar latir su corazón.

Los primeros tres meses se sintieron como un periodo especial de profunda ansiedad. Caminaba como con la certeza de tener un cántaro de agua pillado entre las piernas que se me podía derramar al menor tropiezo (y, seamos honestos, la triste realidad, es que yo vivo tropezando). Lo escribo, y el pánico me vuelve a desbordar los ojos a puro diluvio. Cada visita al baño hacía que esos minutos de bajarme el pantalón, de bajarme la ropa interior, de orinar y el momento ese aterrador de secarme con el papel y con los ojos entreabiertos, mirar que no hubiese manchado, se convirtieron en preludios de ataques de pánico que no les deseo ni a los peores enemigos que aún no tengo. No sé si todas las mujeres se sienten así, o solo las que hemos tenido bebés que se nos han escapado del vientre sin llegar nunca a nuestros brazos. Así que le quité a la gente que me ama el júbilo de comprar cosas antes de la marca del primer trimestre.

Intenté no hacer mucho ruido, porque soy supersticiosa y no puedo colgarme una manita de azabache del ombligo. Mi ombligo. Un ombligo que siempre fue una mera línea demasiado arriba en el contexto de mi panza, y que ahora se ha vuelto un pozo. Por primera vez en treinta y cuatro años puedo verme el fondo del ombligo, un ombligo que ahora se redondea y se conecta con un hilo nuevo y oscuro que sigue hasta donde ya mis ojos no son capaces de ver.

Si soy honesta, no le hablo mucho a mi barriga; no le canto, ni la acaricio a menudo. Mi esposo me preguntó un día: *¿le hablas mucho?* Y con vergüenza y culpabilidad le dije que no. Pero también con toda la falsa seguridad del mundo le aseguré que, a diferencia de él, yo no tengo que hacerlo, pues el bebé, obviamente, escucha mis pensamientos, porque está dentro de mí. Me dijo que eso no funciona así; ¿qué sabe él?, ¿qué rayos sé yo?

El embarazo es un constante descubrir que no se sabe nada. Que volverse adulto es una cosa infinita que nunca se acaba, y que la inminencia de la llegada de un nuevo ser humano te hace sentir más vulnerable, más inmaduro y menos preparado que nunca en la vida. No hay *juris doctor* que te haga entrar a una tienda de coches, cunas y asientos de seguridad y te evite salir al borde de un aneurisma, de vender tus pertenencias, de insultar a la gerente y pasar las próximas doce horas buscando precios y *reviews* en internet, porque te niegas a volver a esa tienda del demonio sintiéndote ignorante y a la merced de los buitres que son los vendedores. Ser padres primerizos tiene el mismo efecto que entrar en un taller de mecánica en tacos y falda, o las mismas terribles consecuencias de ir a escoger una caja de muerto para alguien que amaste y perdiste hace apenas 48 horas. Quieres lo mejor para ese ser (en este caso, un ser que ni siquiera has visto), pero no tienes idea de cuáles son las diferencias reales entre lo que oportunamente te ofrecen, pero el vendedor sí sabe que eres emocionalmente (y en mi caso, hormonalmente) presa fácil.

Hasta este punto del embarazo, creo que lo peor ha sido sentirme como un buzón de sugerencias abierto al público. Extrañamente, las personas sienten que tienen el derecho —o peor aún, la obligación de hacerte el favor— de compartir con una todo su conocimiento, que usualmente suele ser una amalgama de clichés repetidos *ad nauseam* (nunca mejor dicho) o un perverso intento por hacerte sentir aún más perdida y desesperanzada que antes. No puedo enumerar las historias de horror que me regalan sobre abortos espontáneos, partos de más de veinticuatro horas, detalles gráficos sobre episiotomías y toda una retahíla de aberraciones que no serían buen tema para alguien que está comiendo, mucho menos para alguien que se siente como si tuviera una bomba de tiempo en conteo regresivo aplastándole la vejiga. Mi no tan nuevo cónyuge me aprieta la mano, intentando apaciguarme, cada vez que escucha el brillante sermón del "duerman ahora". Tú sabes, porque el sueño es una cuenta de ahorros en la que, si duermo por diez meses ahora, no voy a sufrir cuando para y no vuelva a dormir nunca más. Es una oración bien original, bien pensada y bien útil: si duermes tres días corridos y luego no duermes por 24 horas, estás nuevo, esa es la matemática. Mi esposo teme por sus vidas, porque ha escuchado en el carro y en casa mis furiosas diatribas contra las opiniones no solicitadas, contra el dichoso sermón, y contra las consabidas "la vida te cambió" y "olvídate de los viajes". Cosas que, claramente, jamás se me ocurrieron a mí solita a través de tres décadas de vida. Lo más bello es que, en su mayoría, vienen de gente que nunca ha viajado, que nunca ha tenido hijos o que, aun con lo terrible que ha sido para sus existencias procrearse una vez, deciden —con total conocimiento de causa— volver a hacerlo dos, tres, cuatro y hasta cinco veces.

Tengo 20 semanas, y ya siento patadas. Todavía me asusta más de lo que me emociona. No se siente natural, no se siente mágico, se siente como que tengo dentro algo vivo, de lo cual no tengo ningún tipo de control y no me basta mi imaginación para podérmelo dibujar en la cabeza. Me siento poseída, ocupada, cargada, pesada, reducida y multiplicada. Me siento poderosa, y a la vez tan y tan cansada. Estoy a mitad del primer maratón de mi existencia y ya se me hace difícil levantarme de la cama a mitad de noche (cosa que pasa muchas más veces que cuando mis noches eran de ron y rumba). Sin embargo, tengo a la misma vez una urgencia implacable de hacer algo todos los días para prepararme para su llegada. Y cuando al fin tacho algo de la lista, aparecen mil asuntos pendientes a atacarme de madrugada. Cuento con un montón de gente que me ama, que me añoña, que me escribe a diario y, sin embargo, hasta hace dos días, cuando pude poner las manos de mi compañero de vida sobre mi barriga para que sintiera las patadas de su bebé, nunca me había sentido tan sola. Estamos sobrepoblados, las mujeres llevan siglos pariendo, a diario, en todo tipo de condiciones, y, sin embargo, el embarazo es una experiencia tan aislada, tan abstracta, tan violenta, y, por lo mismo, tan animal y tan humana. Sin embargo, mi fantasía más repetida es imaginarme su cara, el color de sus ojos, el tono de su piel, las dimensiones de sus labios, la longitud de su nariz, el timbre de sus gritos, el volumen de sus llantos.

Mi marido dice que le gusto así. Dice que estoy más pasiva, que peleo menos, que estoy como llena de paz. Quizás no se imagina el campo minado que son mis preocupaciones, el dolor prematuro que siento de solo pensar en dejar a un bebecito de dos o tres meses en un cuido, un bebecito que ni siquiera he parido. No sabe que no tengo un segundo en el que no trate de ser normal, mientras siento mi cerebro se empequeñece, se satura, se nubla, y se convierte en algo que no sé lo que es. Aunque en realidad, lo que hace es expandirse, como el resto de mi cuerpo para hacer espacio para lo que viene.

Porque milagro de la vida no son los bebés, el milagro de la vida es el amor. El amor infinito de mis padres, ahora abuelos de nuevo, que parece que viene de un pozo sin fondo como mi ombligo, un manantial que no baja su presión ni intensidad. El amor de mis suegros, enternecidos; el de los futuros tíos, el de mis amigos, el de mi esposo. Mi esposo que quisiera ponerme en una burbuja para que nada me pase, que recoge amoroso los efectos de mi pereza y mi vagancia (mucho más de la habitual que siempre es mucha). Este hombre que me mira como si yo me hubiese convertido en un mapa de estrellas. Que me perdona mis intensos cambios de humor, mis marejadas de llantos y paveras, y me asegura que todo va a estar bien; que me encuentra bella con mis tetas nuevas, con mi panza que parece que crece cada vez que pestañea, que no le cansan mis nuevos ascos, se ríe de mis nuevas manías y me ama así, a veces preñada de luz, y otras tantas, triste como un paraguas.

La agridulce espera

Los últimos cinco, seis meses del embarazo se sienten como si una estuviese viviendo, no en una nube, sino más bien dentro de una espesa bruma. En ciertas épocas de mi vida tenía unos sueños recurrentes en los que quería correr y no podía, y mis movimientos eran todos como en cámara lenta. Bastante parecidos al sueño del grito que no sale, pero me levanta con la desesperación de que mi cuerpo estaba teniendo problemas en recibir las señales del cerebro. Pues así llevo múltiples semanas. Quizás tenga que ver con eso: que cuando uno cuenta el tiempo en semanas, desacelera su paso.

Recuerdo lo mucho que me irritaba antes escuchar a las mujeres hablar en términos de semanas. Casi tanto como me exaspera que los puertorriqueños seamos los únicos pesándonos en libras, moviéndonos en millas, creciendo en pulgadas. En la dicha de mi ignorancia pensaba que para qué complicarnos, si los calendarios ya han sido simplificados para nuestra conveniencia. Es una cuestión numérica, matemática perfecta donde se promedian meses de 28 a 31 días y se dividen entre semanas de siete días. Pero llevo veintisiete semanas de gestación, y cada vez que alguien me pregunta, no sé si tengo seis meses, 6.75 meses o siete meses. No sé si estoy terminando mi segundo trimestre o empezando el tercero, porque tengo tres libros, siete aplicaciones y cuatro tablas guardadas, y ninguna se pone de acuerdo con la otra.

Pero la realidad es que vivo semana a semana, celebrando los martes, que antes me parecían los días más desabridos del mundo y ahora son la meta constante de sobrevivir una semana más, de acercarme siete días más a lo más aterrador y sublime que me haya pasado jamás. Y se me han despertado las obsesiones y las paranoias más extrañas del mundo. Aunque no sepa en qué trimestre o en qué mes vivo, todas las semanas sé el porciento de viabilidad que tendría mi bebé si, por alguna razón, tuviese que vivir fuera de mí en este mismo instante. No me veo pintando el cuarto con un mameluco de mahón, como la publicidad me hizo creer. Pero cada vez que paso por el cuarto quiero destrozar con un bate la trotadora que mi no tan nuevo cónyuge no acaba de desmontar para hacer espacio, y me persigue el pensamiento de que el cuarto aún no tiene cortinas y de que todo, absolutamente todo lo que tiene dentro, comenzará a despintarse de aquí a julio. Yo solía reprocharle a mi madre el por qué siempre tenía que pensar en que algo malo iba a pasar. ¿Por qué esa tendencia a interpretar, sin fundamento, la falta de noticias como sucesos catastróficos? ¿Por qué ese empeño en vivir con miedo? Pero aún no he parido, y el miedo ya me ha invadido los nervios. Aparentemente, tengo una hernia en el ombligo, y me aterra reírme demasiado, me agarro la barriga cuando estornudo, cuando toso, cuando me voy a parar. Visualizo que se me va a explotar el ombligo cuando me toque parir. No pienso horrorizada en que voy a pujar un melón entre mis piernas, como una embarazada histérica normal; no, tan solo pienso en que mi ombligo va a ceder y se va a salir, no sé ni por dónde, en medio del meollo del parto.

Mi hermano fue quien primero me dijo que ser papá era tener miedo todo el tiempo. El esposo de mi cuñada me dijo una vez que la gente te dice que no vas a volver a dormir, y uno se imagina que es porque el bebé no parará de llorar, pero que la realidad es que, aunque no llore, igual no duermes, porque si no se despierta cada cuatro, cada tres, cada dos horas, te vas a levantar tú para ver si está respirando. Porque los primeros meses son, literalmente, un ejercicio extendido de supervivencia. Y creo que ya estoy entrenando. Suelo recibir patadas (o puños, codazos y cabezazos, porque realmente nunca se sabe) a las 10:00 p.m., a las 2:30 a. m., a las 6:30 a.m. Siento marea, fiesta, vueltas de carnero, brazadas y marcha cuando me da hambre, y también después de comer. Si por alguna razón no siento esos golpes, vibraciones, temblores y corrientes, me cago del miedo. No se lo digan a mi médico, pero si no siento todo ese bullicio, me como algo dulce y culpable, y aliviada siento de nuevo el quilombo infalible, las únicas señales abstractas de que todo está bien (aunque no tenga ni claro qué es normal y qué no lo es).

Estoy coleccionando cosas curiosas que me dice la gente. Son muy pocas, sigo recibiendo la misma plétora de clichés y consejos no pedidos y reciclados. Así que cuando alguien me dice algo nuevo e iluminador, me lo memorizo y me lo repito, porque solo sé encontrarle la magia a las cosas a través de las palabras. Hay gente que me dice que extrañaré la barriga. Yo eso lo veo tan abstracto como me pasaba con la geometría y las ciencias físicas. La incomodidad es mi nuevo hogar; mis nuevos estándares de estilo y vestimenta se limitan a lo siguiente: que me tape mis partes privadas, que me quepa la pipa y que no me regañen en el trabajo. Así que extrañar una panza que aún suelo redescubrir cada vez que me miro sin querer en un espejo, o cuando a mitad de noche voltearme sobre la cama es toda una acrobacia, o cuando para ir al baño de madrugada (de tres a cinco veces cada noche) siento la impotencia de una tortuga boca arriba, me parece una locura total. Pero el otro día, una chica me dijo algo curioso y paradójico: no extrañaba su barriga, sino que le causaba cierta nostalgia, ahora que conoce a su hija, piensa en lo distinto que habría sido su embarazo si, en el proceso, ya la hubiese amado y conocido como ahora. Y la entendí por completo. Me cuesta comprarle cosas a mi bebé porque no le he visto la cara. Me cuestiono cada pequeña decisión porque no sé qué personalidad tiene e ilusamente me creo que no voy a pivotar —voluntaria o involuntariamente— en alguna dirección a la persona que algún día será. En una convención, un antiguo compañero de trabajo argentino, mayor que yo, me decía que lo increíble de tener hijos, en especial tenerlos después de cierta edad, es que, aunque hay pocas sensaciones y emociones nuevas cuando uno sale de sus veintis, tener hijos es como una fuente inagotable de experiencias nuevas casi a diario. Y eso, a mí, hedonista y adicta a la adrenalina, defensora de las causas imposibles como el preservar los resquicios de la juventud ante todo, ese tipo de acercamiento a la maternidad me sedujo.

La realidad es que nunca me han gustado las sorpresas —excepto si se trata de viajes y conciertos—. Detesto los cambios que no controlo como estilo de vida. Esperar siempre me ha parecido el más cruel método de tortura. Y aquí estoy, en el oxímoron más grande que la vida ha podido concebir: dizque *la dulce espera*. Las ganas que tengo de que llegue el momento de confirmarle el rostro son inversamente proporcionales al pánico al desgarre que no solo mi cuerpo, sino mi vida entera sufrirá. Y sin embargo nunca he tenido más claro un conteo. Ese conteo hacia delante y hacia atrás. Una semana menos y otra semana más. Preocupada porque no he leído suficientes cuentos infantiles. Sorprendida porque tengo una lista de canciones para el bebé, mejor pensada que los dos registros de regalos juntos. Con un deseo increíble de que se me vuelvan a incendiar las pasiones porque no me reconozco en este temple perpetuo, en esta incapacidad de sentirme rabiosa, en esta ausencia de prisa por vivir, pero en un ansia desesperante por prepararme para aquello que, por definición, es imposible de prevenir. Porque hasta lo más dulce empalaga, y a mí toda espera, inevitablemente, me desespera. Al menos estoy más clara que nunca, aunque sea más lenta que siempre.

El mundo no está hecho para lo grande

Soy pequeña. En la escuela, si la fila era en orden de tamaño, infaliblemente estaría entre las primeras tres. En el coro de campanas, tocaba la segunda campana más chiquita —yo era el jamón del sándwich entre dos gemelas; mínimamente más alta que la primera y mínimamente más bajita que la tercera—. Ser bajita no me ha traído significativamente ningún problema ni complejo mayor. En nuestra cultura, a las mujeres *petite* nos va bien, fuera de una reputación de tener caracteres inversamente proporcionales a nuestras estructuras óseas. Aparte de llevar aproximadamente dieciocho años montada en tacos, aceptar como destino implícito que a toda compra de pantalón o traje largo habrá que añadirle el cargo perpetuo por ajustarle el ruedo, y saber que donde haya multitudes jamás veré nada que pase en una tarima a menos que sea a través de las pantallas gigantescas, ser bajita no me ha producido ninguna incomodidad trascendental.

Mi no tan nuevo cónyuge es alto, bien alto. Lo suficiente para hacerme pensar en que las casas en la isla están construidas para gente que mida menos de seis pies, pues en múltiples ocasiones tiene que agacharse para salir o entrar a una habitación. Tan alto, que tengo que avisarle para que no se achoque con los rótulos de las góndolas en los supermercados. Intento comprar taquillas y en los pasillos, para que él pueda al menos estirar una pierna sin sentirse tan pillado. Usa un palo de escoba pesadísimo, pero más largo de lo normal, porque dice que el tamaño estándar le desbarata la espalda; lo mismo con los *counters* de la cocina, las tablas de planchar y cosas cuya altitud nunca he tenido que cuestionar.

Un amigo que resulta ser uno de mis escritores favoritos, escribió una vez un manifiesto de lo que era ser gordo en un mundo de flacos. Yo lo amé como suelo amar todo lo que escribe. Hablaba de la incomodidad del tren, de los aviones, de la dificultad de comprar ropa, del miedo a que la silla plástica cediera ante su peso, del pánico generalizado al ridículo porque todo es más grande, más ruidoso, más notable, cuando uno excede las dimensiones de lo considerado normal.

Si nunca has pensado que el mundo no está construido para ti, significa que eres privilegiado.

Yo ahora mismo mido cinco pies y una pulgada y media (si a estas alturas el peso no me ha achicado) y debo estar pesando, mínimo, cincuenta libras más de lo que sería considerado mi peso ideal (menos de treinta de ellas puedo adjudicárselas al 50% adicional del volumen de sangre, la placenta, la retención de líquido, fluido, bebé, nueva copa de sostén, etc.). Donde alguna vez estuvo mi cintura, ahora tengo una circunferencia de cuarenta y dos pulgadas (que pareciera aumentar mientras tecleo). No he logrado asumir dónde me acabo. Es como si mi cerebro aún no hubiese podido interiorizar los nuevos confines de mi cuerpo. Me golpeo con puertas que yo misma abro. Me sorprende que no alcanzo tablillas que antes tocaba, como si me estuviese encogiendo, luego recuerdo que sencillamente no puedo acercarme tanto al borde de las cosas y desde lejos se acorta mi alcance. A veces le digo a la gente "con permiso", y la reacción inicial es mirarme mal, como diciéndome que claramente quepo y puedo pasarles por el lado, pero luego del monitoreo se disculpan, se dan cuenta de que no, no quepo por el lado de su carrito de compra, de su silla desplazada en medio del restaurante como si fuesen dueños y señores del lugar, que no me da el espacio para moverme sin tener más contactos que no quiero tener con desconocidos, porque honestamente ya estoy harta de que me toquen la barriga como si fuese una mascota de paseo, y siempre he pensado que se debería pedir permiso antes de acariciar al ser viviente que nunca te ha pertenecido.

No puedo retractar mi barriga. No puedo respirar hondo y reducirme. Mi vientre no se escurre, mi pipa no se exprime, mi ombligo no se guarda. La gente en este país es incapaz de estacionarse en el centro de un aparcamiento. Entonces, intento pegarme lo más posible a la derecha para poder deslizarme del asiento y transportar mi cuerpo hacia los múltiples lugares a donde aún tengo que llegar. En más de una ocasión he tenido que montarme por la puerta del pasajero porque sencillamente no quepo por la del conductor. Cuando me bajo del carro, choco con los retrovisores, me ensucio la ropa, la cartera se me enreda, se me caen las cosas que intento llevar en las manos, y lo peor de todo es que llamo muchísimo la atención. El primer novio alto que tuve me decía que cuando una persona bajita no sabe bailar, la gente apenas se da cuenta, pero que cuando alguien grande baila mal, es como si tuviese reflectores y flechas sobre sí, llamando la atención de todo el mundo. Y es que el miedo al ridículo y la atracción del juicio tienen una relación discreta, pero importante, con el tamaño.

Nunca había valorado mi pequeñez. No la había sentido como una ventaja particular, ni me había cuestionado nunca la agilidad y la discreción que un cuerpo compacto goza. Me he colado entre multitudes sin apenas tener que empujar a nadie. Cuando tus dimensiones son breves, cualquier recoveco es acceso. Hay una magia implícita en no ser fácilmente visto. En estas semanas he pensado mucho en la gente grande. Y se me ha colado entre cuero y carne una empatía cuasi sanguínea con la grandeza y la obesidad.

Yo decidí embarazarme, y ya estoy al filo del fin. Pero a estas alturas, mi saco de cemento ——que bien sé que no es permanente— se manifiesta como una esfera de cristal, una burbuja que podría explotarse de tanto mirarla. Esta barriga, aunque no esté hecha de excesos calóricos o condiciones médicas preexistentes, se siente como una herida abierta, una vulnerabilidad latente, un peso que no me fortalece, una grandeza que no intimida, una debilidad que no trasmuta, un súper poder que debilita, un algo sobrehumano que no sublima ni dignifica, una cuestión milagrosa que aterriza y humilla a la mismísima vez. Al final del día, las cosas grandes ocupan más espacio, superan pequeñeces, se les llama *bestiales*, pero se les siente tan sublimes.

Que el parto no se acaba

El 27 de junio de 2019 no fue el día más feliz de mi vida. No descubrí el verdadero significado del amor ese jueves. Con tu perdón, Silvio, si algún día me lees (lo cual sería muy raro porque los hombres de mi vida tienen una tendencia a no leerme), no siento que conocí al amor de mi vida a las 7:51 a. m. de ese día, que para mí comenzó doce horas antes o, en el fondo, treinta y nueve semanas atrás. Si soy honesta (y lo digo once semanas después del trauma), probablemente han sido las peores horas de mi existencia. Me gustaría decir que las próximas semanas fueron de ensueño. Que mi vida se llenó de luces y colores. Pero me siento obligada a recordarme, porque dicen que se olvida, y al menos para protegerme como siempre del olvido y la reincidencia, quiero que conste en récord que el mes que le siguió al parto está en la misma categoría para mis efectos de divorciarme y colgarme en la reválida.

No hablo de los dolores del cuerpo. Esos, unánimemente te los advierten y siempre se quedan cortos. No son parecidos a una menstruación dolorosa. No es una combinación de estreñimiento, dolor muscular, gases y hambre. Son más bien calambres prolongados; la mordida de un perro en las entrañas; el pellizco, con la fuerza de torque de un camión, en lugares recónditos. Dolores que no se definen, que te hacen pensar que te meas, que te cagas, que te vomitas, que te desmayas, que te mueres. No me morí ni me desmayé, haga usted los cálculos.

Al mirar por el retrovisor, esas semanas se ven borrosas, como un sueño que uno recuerda por fragmentos inconexos. No estoy segura de a qué hora comenzaron las contracciones apocalípticas. No sé con certeza a qué hora por fin me chequearon las enfermeras y descubrieron que estaba en 7 (para los que no hayan parido: hablo de los centímetros en que una se dilata; tienes que llegar a 10 de circunferencia para que idealmente quepa por ahí el bebé). Llegué al hospital en 1, y usualmente se dilata un centímetro cada hora, si tienes suerte; les dejo nuevamente los cálculos. No puedo poner mi cabeza en un picador sobre la hora milagrosa en la que llegó la doula, me bajó de la burra, me trepó en una bola y me ayudó a cabalgar las contracciones sin dejar de respirar.

Sin embargo, recuerdo claramente la retahíla de malas palabras que le grité al doctor, con toda mi furia hasta entonces contenida. Veo con claridad aquella altura a la que la burra decidió trancarse justo cuando me dieron permiso a pujar. Escucho la voz de mi médico diciéndome, con naturalidad: "el próximo lo pares cómoda, este se va así". Cuento, sin temor a equivocarme, las cuatro veces, repito, cuatro veces, que se fue la luz durante mi parto activo. Casi siento el sueño que por fin casi me vence cuando la morfina que me administraron a la medianoche regresó, precisamente cuando necesitaba las fuerzas de mi vida entera para sacar a una persona de entre mis piernas. Puedo aún saborear la amargura que se me subía por la garganta cada vez que el ginecólogo le hablaba a todo el mundo en el cuarto, menos a mí, sobre lo que estaba pasando tan lejos y tan cerca de mis orejas. Aún se me eriza la piel cuando lo escucho, una y otra vez en mi mente, decir: "hay que ayudarla". Y yo, sin saber qué era eso de *ayudarme.* Y yo en mi ignorancia, pensando que me suministrarían alguna droga milagrosa; sentir luego que me vaciaban la vejiga metiéndome una varilla en la uretra (en realidad era una sonda) que luego me rajaban y unían mis orificios, que me metían un aparato de succión, que me pedían que avisara las contracciones, que contara en voz alta los pujos, para seguirme, para agarrar al bebé que, igualito que su madre treinta y cuatro años atrás, se asomaba, pero se negaba a salir.

Puedo ver en alta definición al niño ensangrentado sobre mi pecho. Pensar que nunca se veían tan rojos en las fotos. Concluir, con lo que me quedaba de cerebro, que la sangre era mía, por los cortes. Mirarle las manos y pensar que eran inmensas, demasiado grandes. Besarlo varias veces y llenarme la boca de sangre. Llorar sin poder evitarlo. Estar casi segura de que el llanto no era de felicidad, era de dolor. Escuchar que ordenaran ponerme la pitocina para expulsar la placenta. Sentir que me apretujaban la barriga, ahora vacía. Que me cosían con hilo y aguja nuevas costuras. La voz de ese señor, de nuevo: "estate quieta, que si te mueves, es peligroso". El nene encima de mí. Un temblequeo involuntario. "Mamá, necesito que pongas de tu parte".

La primera vez que me decían mamá, y de verdad lo era, y sonaba a regaño. "Esto es serio mamá, se te pueden pasar las heces si no te coso bien". Mi ira de nuevo. Mis gritos. Reunir el sarcasmo del cosmos entero para decirle "mala mía, que estoy temblando después de doce horas de dolor y de que me rajaras el culo y me lo estés cosiendo a sangre fría". "Ni modo, hay que llevarla a sala de operaciones, ponerle la epidural". Ajá, con el niño ya afuera. Recuerdo que me movieran a una camilla con ruedas. Que me llevaran de un lado al otro del hospital. El dolor, cuando las ruedas chocaban con desniveles entre los pasillos, con la entrada y salida de ascensores. Un hombre que me repetía que no sentiría dolor. Mis carcajadas incrédulas. Después de eso, no recuerdo nada.

Levantarme en una sala de recuperación, horas más tarde, una mujer a gritos a mi lado, y yo sin poder mover las piernas, y sin bebé. Intentar detener las películas de horror en mi cabeza. Tratar de convencerme de que mis piernas volverían a moverse, de que el bebé estaba bien, de que no había pasado nada terrible. Parí a las siete y cincuenta y uno de la mañana y no volví a ver a mi hijo hasta pasadas las tres.

No recuerdo cuántas veces en la noche nos levantábamos. Pero sé que la primera noche en el hospital dormí con espejuelos para poder mirarlo. No sé cuánto comía ni cómo logré exprimirme esas fracciones de onzas a mano. Pero aún siento el pánico de que lo estaba matando de hambre. Aún tengo que preguntarles a mi madre y a mi marido cuánto exactamente midió y pesó, pero me sé al decimal la libra y las onzas que perdió en apenas cinco días. Mis primeras semanas de maternidad se sintieron como un verdadero fracaso. Estaba fallando crasamente en un trabajo al que me había comprometido de por vida y sin escapatoria. Memoricé sin remedio la sensación de que me estaba ahogando, y lo peor de todo es que me estaba ahogando con él.

Mi parto no fue esa "cita a ciegas donde conoces al amor de tu vida". No comprendí el verdadero significado del amor cuando me miró a los ojos. No sentí un alivio que me borrara la memoria y me curara el cuerpo. Todo lo contrario. Redefiní el miedo y el dolor. Entendí, en menos de 24 horas, la visceralidad de la maternidad. Lo animal de mantener eso que pujaste, vivo y a salvo. La ansiedad que produce haber leído demasiado y haberte preñado y parido con intención y alevosía, siendo una adulta hecha y derecha (o al menos, creyéndotelo).

Tener un hijo es una herida abierta; y así lo sentí desde el principio. Y no, no es una metáfora poética. Me dolían todos los puntos todo el tiempo. El amor de madre, para mí, al menos en sus inicios, es más una reacción fisiológica inevitable. Un amor feroz que sale de las entrañas más como un reflejo que como una opción. Con la urgencia irremediable de tener que ir al baño, con lo humillante de cagarse encima. Doloroso por definición. Desgarrador por principio. Injusto, desequilibrado, leonino. Los primeros meses son todo menos lunas de miel, por más que la nostalgia posterior les diga lo contrario. Siento que he tenido una crisis de fe, pero a la inversa. Me ha tocado creer en contra de mi voluntad porque, sencillamente, no doy abasto. *Sin querer queriendo* he vuelto a rezar, pero con las manos abiertas. Diariamente, casi como un estornudo, pido que lo cuiden. Así, invocando en plural, sin denominaciones específicas.

Lo que sí me ha sobrecogido es el amor en general. Quizá porque sí he tenido la suerte y la desgracia de conocer el amor múltiples veces y en muchos lugares. El amor sobrehumano de mi mamá. El amor de un hombre hermoso que se levanta todas las veces conmigo, aunque sea para asegurarse de que esté suficientemente despierta como para sostenerlo. El amor de mis familias, las que nos traen comida, las que friegan, las que nos lavan ropa y lo velan para que nosotros podamos al menos bañarnos y, en los días más afortunados, tomar una siesta. El amor de mis amigas, las que siempre dicen presente, las que toman fotos, las que me acompañan a las citas, las que textean enviando señales de humo de que hay vida al otro lado, las también paridas y partidas, que me escriben para asegurarme que todo mejora. Que siempre es bien difícil, aunque casi nunca se diga. Las multíparas, que sabían que necesitaría un *blower*, agua maravilla, una bolsa de hielo, crema de lanolina y todos esos trucos de supervivencia, no para el bebé, sino para mamá, que siente que pende de un hilo mientras se encarga de una vida nueva.

Probablemente, porque nunca he sido de amores a primera vista; seguramente, porque lo que siempre me sobrecoge es el amor, no los enchules que por repentinos resultan pasajeros, llevo más de siete años con un hombre que no me hace llorar y parí a un hombrecito que me ha hecho llorar más veces del número de semanas que tiene. En su día 34 de vida, el mismo número de mi edad actual, Silvio me sonrió por primera vez. No las sonrisas esas dormidas, ni las muecas de algunos otros reflejos escatológicos; me sonrió mirándome a los ojos. Le pregunté si me estaba sonriendo, y en respuesta, lo hizo de nuevo. Me emocioné tanto que me eché a llorar, no fueron lagrimitas de ternura, sino un llanto a boca de jarro, con todo y sus vergonzosos hipidos. Lo asusté tanto, que entonces él empezó a llorar sin parar. Luego de reírme a carcajadas por mi impresionante habilidad para cagar los momentos sublimes, me permití aceptar que había una gran posibilidad de que, por quinta vez en mi vida, me estuviese empezando a enamorar.

Hasta las tetas

¿Y lo estás lactando? Más que el nombre del niño, más que cuántos meses tiene, más que cómo me siento, más que cuándo regreso a trabajar, más que quién lo va a cuidar, esa es la pregunta que más me han hecho en estos casi cuatro meses. Entonces me mango dando explicaciones. Ya no... pero bebió exclusivamente leche materna los primeros tres meses... nunca se pegó... Y las caras de desaprobación. La decepción del médico. El juicio de la mamá con su bebé gigante pegado a la teta en la sala de espera. Y yo, ampliando mi argumento. Tres especialistas en lactancia intentaron ayudarme. La pediatra estuvo casi media hora tratando. Hasta al dentista pediátrico especialista en frenillos lo llevé. Y las sonrisitas condescendientes. *Es que da trabajo. No es fácil, pero se puede. Así era el mío, y mira. Esto no es pa' to el mundo. Es que es bien sacrificado.* Con los hombros encogidos y las bocas fruncidas de *soy más mamá que tú.*

Nunca me ha gustado que me toquen los senos. Ha sido casi una fobia existencial. En muchas ocasiones soñé que cuando me pegaban el bebé al pecho, yo gritaba como si tuviese sanguijuelas chupándome la sangre a través de mi piel. Abiertamente decía que le tenía más miedo a la lactancia que al parto. Cuando iba a hacer el registro de regalos, pedía que me vendieran lo mínimo para sobrevivir las dos vías: si decidía lactar y si decidía no hacerlo. Porque, en mi ingenuidad, juraba que esto era una decisión enteramente mía y completamente racional. Desde ahí empezaron las afrentas. *Cuando tú veas lo que te vas a ahorrar en fórmula. ¿Pero cómo no vas a lactar? Si eso es lo más bello que hay. No hay vínculo como ese. Cuando ese bebé se te pegue se te va a olvidar to.* Y dale con las romantizaciones que rozan a las mentiras.

En treinta y nueve semanas, nunca me salió ni una gota de leche. Pensé que, probablemente, por haber repetido tanto que no quería lactar, mi cuerpo caprichoso había decidido escucharme esta vez. Dormía con *brassiere* puesto porque la hipersensibilidad era tanta que no soportaba ni el roce de las sábanas. Los usaba de maternidad (lo cual quiere decir *de lactancia*) porque no cabía en los míos. Veinticuatro horas antes de parir, desperté recordando clarito lo que había soñado: había parido un gato. La bruja en mí sabía que aquello no era del todo un juego azaroso del subconsciente.

Mi bebé no se pegaba. Me pillaba las puntas de los pezones con las encías. No succionaba ni aunque su vida literalmente dependiera de ello. Las enfermeras, las del grupo de apoyo de lactancia, mis amigas madres que me visitaron al hospital, y hasta una de las pediatras, me trastearon las tetas sin ningún pudor. Las agarraban con las dos manos, las estimulaban con sus dedos, se las empujaban por distintos ángulos al bebé, quien hacía todo lo posible por separarse, por empujarme. Cuando me metía en su boca, hacía un ruido de chasquido, pero no chupaba. Los diagnósticos y pronósticos fueron múltiples y variados. Vagancia, frenillo, mis pezones eran muy pequeños (aunque nunca nadie se había quejado antes de ellos), todavía ni se entera que ha nacido, ya tendrá hambre y se pegará, y así por el estilo. Me enseñaron a ordeñarme en una cuchara. Apretaba y apretaba y veía gotas amarillas formar un pozo en una cuchara de sopa de la cafetería. Luego le vertíamos esas fracciones de onza en la boca, con pánico de que se derramaran y se perdieran. *El estómago de ellos es muy pequeño. Tranquila que se llena. El calostro es mágico.* Por otro lado, la pediatra me recomendó que no usara la máquina porque ya estaba produciendo mucho, y no iba a soportar el dolor si llegaba a estimularme demasiado. Así que me exprimí y me exprimí, y me volví a exprimir. Cada hora y media. Me exprimía las tetas y me vertía en una cuchara, y la derramábamos en la boca de mi recién nacido, de día, de noche, de madrugada. Luego de varias y dolorosas pérdidas de mis extracciones manuales, decidimos sofisticar la tortura. Compramos jeringuillas para saber la cantidad exacta: dos, tres cucharadas, media onza, una onza. Hacíamos cómputos en la oscuridad. Dudábamos de nuestras mentes. El niño no paraba de gritar. Pero no se pegaba, en ninguno de los intentos. Así que yo seguía sacándome leche sobre una cuchara, alguien la recogía con la jeringuilla y, a veces, entre dos personas agarraban a mi hijo rabioso para introducirle a la fuerza el preciado líquido en la boca, como a un gatito. Encima, no me era posible sacarme leche por adelantado porque solo me brotaba cuando él empezaba a llorar por más que me las apretujara y estrasijara. Yo me ponía hielo cuando terminaba para bajar la hinchazón y adormecer el dolor. Luego compresas calientes para disolver los peñones lácteos y desinflamar los ductos. Y los senos a punto de explotarme a todas horas. Me dolían al acostarme; me hería el agua de la ducha; me desbarataba cargarlo, y me apuñalaban los piadosos abrazos de mi marido. Fueron días infinitamente oscuros.

Cuando fui a la cita médica del chequeo de la primera semana, el bebé había perdido peso, demasiado peso. Intenté explicarle a la pediatra, pero no podía parar de llorar. Mi esposo le tradujo mis palabras ahogadas. Ella me dijo: "lo ideal es que lo lactes directamente; lo segundo mejor es que te saques la leche y se la des; lo tercero es que le des fórmula. Lo más importante es que coma. Lo más que el bebé necesita es una mamá, pero lo que de verdad de verdad le hace falta es una mamá feliz". Si yo fuese una persona de abrazar, le habría dado un abrazo apretado y doloroso, porque habían sido las palabras más amables que había recibido en días. Me advirtió que sacarse la leche con máquina para dársela al bebé era duro, muy duro; y me recomendó que lo hiciera cada tres horas, ya que cada dos era inhumano. Me sugirió, además, que me pegara la máquina cada vez que el bebé comiera, para que la producción se sincronizara con su necesidad. Y así fue.

Por alguna razón que aún no entiendo, sacarme leche me provocaba unas náuseas que duraban los primeros nueve minutos que pasaba pegada a la máquina. Tuve que continuar con los rituales de frío y calor antes y después de cada extracción. Cuando tenía los brotes de crecimiento, que básicamente son los primeros tres días, y casi todas las primeras semanas, no daba abasto. Ya sabía que necesitaba esas dos onzas por toma, pero no siempre llegaba a ellas. Podía sacarme tres onzas cada tres horas, pero si intentaba hacerlo cada hora y media, solo me salía una onza y media. O sea, que era el doble de trabajo para la misma producción. Mis días y mis noches giraban en torno a mis tetas, sacarme leche antes de que se despertara y cada vez que él comía. De noche me despertaba, lo cambiaba, le daba biberón, y luego me quedaba media hora más despierta para poderme sacar la próxima tanda. Así que apenas tenía una hora para dormir entre tomas. Encima, no tenía ningún *vínculo especial*; tenía lo peor de los dos mundos. Cualquiera podía darle el biberón a mi bebé, pero solo yo podía sacarme la leche. Tenía los senos destrozados y, para completar, tenía que calentar la leche que se guardaba en la nevera, y por ser leche materna, tenía que hacerlo en baño de María. Mientras mi bebé gritaba sin parar, trataba de explicarle que, si se pegaba a la teta, tendría su comida al instante, a la temperatura correcta, sin tener que templarla, sin tener que lavar y esterilizar botellas... pero salió cabezota a la madre, y le gustan las cosas ilógicas y complicadas.

La primera vez que solo produje una onza y el papá le añadió una onza de fórmula para completar, me salí del cuarto para no mirar. Total, solo se tragó una, y las voces en mi cabeza me reprochaban: *¿ves que el cuerpo es perfecto?* Las próximas horas las pasé velando cualquier buche o irregularidad, echándole la culpa a la fórmula, a la dichosa fórmula. Yo lloraba y lloraba, y mi marido no entendía nada. Lactar nunca había sido una meta para mí. Ahora, con las tetas llenas y el niño a gritos, me parecía la primera prueba fallida de la maternidad. Mi cuerpo estaba siendo apto, así que probablemente la que estaba fracasando era yo. Y siempre he tenido problemas para aceptar el fracaso. Yo me fajo y me fajo hasta que lo logro. Lo he hecho con todo; no me quito de nada. Yo renuncio cuando soy infeliz, pero nunca porque no pueda, nunca porque no me salga, nunca porque no dé abasto. Y Silvio, en menos de un mes, me enseñaba a fuerza de cañón que no, que no todo era como o cuando yo quisiera, que esa época ya se había acabado. Y mi familia mordiéndose la lengua, nadie me dijo que era una locura, que le diera fórmula y ya, que yo comí fórmula y cereal y no me va tan mal en la vida na'.

Me compré un *brassiere* de esos que una se conecta a las pompas y te permite tener las manos libres. Eso me hacía sentir aún menos humana, y aún más infeliz. En más de una ocasión se me derramó la extracción de la mañana, que suele ser la más generosa: cinco y hasta siete onzas desperdiciadas en el piso o en la cama. Y yo llorando descontroladamente. Quien dijo que no se llora sobre la leche derramada claramente no se la acababa de exprimir del pecho. En una ocasión la derramé en el *counter* de la cocina, y con mis propias manos la fui empujando al borde hasta rescatar gran parte de ella y meterla en un biberón. Después de darle la leche rescatada, mi marido me encontró llorando sin control. Yo era la peor mamá del mundo. Quizás esa leche estaba contaminada. Quizás tenía detergente del día anterior. Quizás algún animal había caminado por la cocina. A lo mejor estaba envenenando a mi hijo con tal de no aceptar que mi torpeza, una vez más, había aplastado mis esfuerzos. Estuve el día entero examinándole la piel, velándole más de lo usual, la respiración. Como era de esperarse, nada pasó. En estas circunstancias, salir era toda una producción: la máquina, la neverita, la manta para cubrirme, las botellas adicionales, la leche ya sacada y a temperatura ambiente. Andaba con una libreta anotando las onzas que me extraía, a qué hora lo hacía, cuándo me tocaba de nuevo, cuántas onzas ingería el bebé, a qué hora... Un día, mi esposo me preguntó que cómo se sentía usar la máquina, y mi respuesta inmediata, sin pensarlo dos veces fue: como si un viejo asqueroso me estuviera chupando las tetas por treinta minutos, de siete a diez veces al día. ¿Y por qué lo haces, entonces? Entonces, con toda la honestidad del mundo, le dije la más profunda verdad: no lo sé.

Otro día, mi hijo se despertó mientras yo me extraía la leche y empezó a llorar. Me levanté para acercármele, y como ya llevaba siete minutos, al despegarme de la máquina seguí chorreando. Me asomé al corral y las gotas le caían en su cara. Su cara de desprecio fue equivalente al de un adolescente cuya madre se levanta la camisa para ofrecerle los pechos. Ahí supe que aquel vínculo mítico nunca iba a pasar.

La gota que colmó el bibí fue que se enfermó mi bebé. Le dio bronquiolitis cuando tenía apenas dos meses de nacido. Y como me pasó en su momento con las oraciones de niña, se me colapsó la fe. ¿No se suponía que no se enfermara si se alimentaba puramente de mí? ¿No que el cuerpo era perfecto? ¿Y qué de los beneficios inmunológicos de la leche materna? ¿Por qué me estaba pasando esto a mí? Lloré más que él cuando le dimos su primera terapia respiratoria. La mascarilla le tapaba casi por completo su carita. Si se despertaba a mitad de terapia, se desesperaba, como si no pudiese respirar, como si estuviésemos asfixiándolo en vez de curándolo. Cuando lo vi, entendí que así estaba viviendo yo, asfixiándome, tan solo por llegar a las supuestas onzas. Más preocupada por lactarlo que por disfrutármelo. Y hasta ahí.

Sin querer queriendo, llegué a la meta que internamente me prometí: tres meses, hasta ponerle las vacunas. Logré inmunizarlo con lo exprimido en lo que el hacha iba y venía y me hacía pedacitos. Tres meses después de parir, todavía no me sentía gente. Entonces hice el ejercicio al que habría exhortado a cualquier amiga: mira tu vida desde arriba y determina qué te falta y que te sobra; qué te acerca más a la felicidad y qué te la aleja. Sacarme leche. Aunque sentía orgullo al ver un bibí llenito, hecho por mí, eso duraba apenas microsegundos, mientras que pasaba horas enteras en una relación más intensa con mi Medela que con mi Silvio. Así, a fuerza de repollo en el sostén, de empezar a sacarme solo cada tres horas, luego cada cuatro, luego cada seis, luego dos de día y una de noche… de renunciar al agua caliente porque esta provocaba de nuevo la producción (mis tetas resultaron ser tan *overachievers* como quien las carga), tardé semanas en secarme. Ahora mi bebé se devora su fórmula con la misma satisfacción que la leche materna. No se ha vuelto a enfermar.

Pero todavía, cuando me preguntan si el bebé es lactado, titubeo. Todavía me disculpo, todavía bajo los hombros y la voz. Es lindo eso de que la gente sienta que el bebé es de la comunidad. Es noble la idea de que los bebés son criados por tribus. Pero antes de ser de la tribu, el bebé es de mamá. Una mamá que lleva meses tratando de encontrarse a sí misma detrás de una barriga enorme. Una mamá que lleva semanas temiendo cometer un error irreversible mientras intenta mantener vivo a un ser humano. Una mamá a quien le duelen el alma, y el cuerpo todavía. Dejemos de romantizar el sacrificio desmedido. El respeto y la deferencia a la lactancia se supone que sean para defender a las mamás, para defender el espacio y la decisión de alimentar a sus bebés, no para someterlas a un yugo adicional, no para sentirnos con derecho a opinar sobre el cuerpo que sigue siendo de mamá. La maternidad no se define por haber tenido parto natural o cesárea. La epidural no adormece el instinto materno. Tener un cuerpo apto para lactar no se traduce en ser una gran mamá. El amor no se mide en onzas de leche ni en años de teta exclusiva. Los cuerpos no son perfectos. Las madres tampoco. Si vamos a ser tribu, seámoslo para construir, no para aislar. Y si no tiene nada bonito que decir no diga nada, que ya estamos hasta las tetas de tanto opinar.

Sin salida

Encerrarme sola con mis pensamientos nunca ha sido una magnífica idea. Sin querer queriendo, pasé una buena década —década y media— corriendo sin parar; quizá para no pensar, para no sentir; quizá para evitar, sencillamente, estar. Lo que tanto se predica ahora como método para salvar la cordura, el estar presente, en el momento, para mí había sido algo insostenible. Así que viví con los pies corriendo hacia un futuro sin direcciones específicas, con el espíritu agarrándose a un pasado que, inevitablemente, se iba derramando tras mi correcorre. Pero en este presente, llevo sesenta y dos días encerrada. Acuartelada con mi marido, mis dos perros y un bebé que se va convirtiendo en niño sin poder pausarlo. Todos refugiados en nuestro lugar feliz, una casita con la que soñamos inicialmente como un retiro para nuestra vejez, y que se nos dio al filo de que la vida se volviera aún más extraña, aún más ajena que este ensayo de paternidad que llevamos estirando por ya casi un año.

Estamos en cuarentena por orden gubernamental. Hasta hace muy poco, para mí, la cuarentena, eran cuarenta días sin sexo después de parir. En mi inocente mente prematernal, me parecía un tiempo larguísimo, que temía fueran días ensangrentados, con muchas ganas de todo y sin tiempo de nada, con una gran hambre del cuerpo, pero con un cansancio aún mayor. Jamás hubiese imaginado que mi cuerpo no sentiría ganas de nada hasta muchos meses después, y que cuando por fin me llegaran esas ansias milenarias, todavía me dolería tanto la vida que voluntariamente escogería quedarme hambrienta antes de acercarme a la herida abierta en la que me había convertido casi entera.

La cuarentena es mucho más que una pausa de cama. Es rehabilitarse de una intervención mayor. Es sanar un corazón roto.

Es darle tiempo a un cuerpo a creerse lo que ahora es. Es un duelo por quien ya nunca volverás a ser. El embarazo es demasiado abstracto; el parto, demasiado doloroso. La cuarentena es ese *loading* de una nueva realidad que, por más que pintemos de colores pasteles, no deja de ser extremadamente violenta.

Una se imagina a sus amigas entrando y saliendo de casa por semanas, y hasta meses. Una presume que recibirá infinidad de mensajes de apoyo —o al menos, de curiosidad—. Una ha visto las entregas de comida en las películas. Una fantasea con que alguien de esa vida pasada (que para ese entonces todavía no se siente tan lejana) te tirará una soga, te abrirá una ventanita que te haga creer que se puede volver atrás, que nada puede haber cambiado tanto, que una está a ley de *un giro de una cremona* (no es casualidad que nunca antes haya tenido que teclear esa palabra) para saber lo que pasa fuera de esa extraña burbuja que es la cuarentena posparto. Pero no es así. La gente que te quiere respeta la cuarentena; te da un espacio para que te acostumbres; no quiere molestarte. Quieren que te aclimates a esa nueva vida que en mi caso yo escogí y peleé por conseguir. La gente que no ha parido quiere con mucho amor darte ese regalo; la gente que sí ha parido sabe que la cuarentena no es más que un vistazo al increíble aislamiento que trae consigo la maternidad.

Las madres sabemos que mantener vivo a un bebé duele, que hacen falta innumerables pintas de mantecado y voluntarios para lavar ropa. Que el mejor regalo es ofrecerse a mirar al recién nacido respirar, para que una se pueda dar un baño con calma. Que no hay mayor gesto de amor que el que te cubran un turno para dormir tres horas ininterrumpidas.

Como a los tres meses de parir me di cuenta de que nunca había salido sola con mi bebé. No había sido una decisión consciente. En realidad, tuve la fortuna y el privilegio de contar con gente hermosa que me acompañara a las citas del pediatra, así como a las citas de mi médico, que suelen ser las salidas compulsorias de una parturienta. Tenía carro, tenía asiento protector para el bebé, tenía licencia de conducir y licencia de maternidad; sin embargo, por alguna razón, yo, la paticaliente que toda la vida ha detestado quedarse en su casa, no encontraba ninguna inspiración para salir. Así como cuando me descubro una molestia no puedo dejar de —sadomasoquistamente— espulgármela hasta el dolor, comencé a intentar en mi mente obligarme a salir. Sería algo casual, un centro comercial. De repente, mi mente contra mí: ¿Y si no hay estacionamiento? ¿Y si no hay rampas? ¿Y si no hay ascensores? ¡El coche!, ¿y si no puedo abrir sola el coche? El *car seat*, ¿y si no lograba sacarlo de la base... y si era incapaz de engancharlo en el coche? ¿Y si no sabía cómo sacar a Silvio del asiento? ¿Y si lo dejaba encerrado dentro del carro... y se me quedaban las llaves dentro? ¿Y si también dejaba el celular dentro del carro, con las llaves y el carro apagado, y no podía sacarlo y tampoco podía llamar a nadie? ¿Y si se moría, si se me moría por mi culpa, por mi despiste, por esta jodida cabeza loca con la que siempre he cargado que hace que me pierda los árboles por andar enamorada del bosque? No, mi bebé no se iba a morir por mi necesidad de salir de las cuatro paredes de mi casa. Les escribí a otras madres para consultarles cuándo habían empezado a salir solas con sus bebés. Todas antes que yo, meses antes que yo. Todas casuales, todas normales, menos yo.

Traté de achacarlo a que habían parido más jóvenes; parir vieja viene con un exceso de paranoias, con una plétora de información innecesaria que una va coleccionando a partir golpes viejos y cuentos cercanos. Quizá leer de más, finalmente, me estaba pasando factura. A lo mejor el miedo de mi madre por fin se había materializado: *la gente demasiado inteligente se vuelve loca, Edmaris*; aun cuando sigo convencida de que perdí cerebro en el parto, que se me escaparon neuronas con los pujos; que reemplacé mi memoria con conteos de onzas y diarios de cagadas; que la fórmula perfecta para contraer la enfermedad del olvido es la falta de sueño... en fin, que parir es partirse, y que la realidad es que yo he quedado irremediablemente rota.

Pensar en salir de la casa sola con Silvio me volvía agua. Corría el carrete de la película en mi mente: tener suficientes pañales, toallitas, paños, suficiente leche, biberones, ropa, neverita para guardar la leche, máquina de extracción, botellas vacías, mamilas, bobos (que nunca usaba, pero por si ese día lo quería); colgarme las llaves del cuello como un perro, la mochila en la espalda, el niño en el pecho, la cartera cruzada por encima de mis tetas dolientes; agua de azahar antes, durante y después; bajar las escaleras, prender el carro, prender el aire, montar al niño en el asiento, despojarme de la retahíla de motetes; montarme en el carro, intentar respirar, beberme las lágrimas mientras el niño no paraba de gritar, y buscar un *playlist* para que desde las bocinas la guagua se nos inundara de olas del mar. Y es que la casa se convierte en una extensión del útero. Es el único lugar en el mundo donde crees que tu hijo está seguro, protegido, bajo control y como casi todo en la vida no lo reconoces hasta que ya cambiaron los muñequitos. Puedes controlar la temperatura del cuarto, de la leche; tienes un millón de provisiones —equipos que no sabes lo que son, y que casi nunca puedes recordar dónde están, ni mucho menos quién te los regaló, pero están allí, cuestión de revolcar una gaveta o de virar un clóset al revés—. En casa te sientes equipada para resolver lo que la vida te tire, aún en un apartamento de tres pisos en donde tienes que subir y bajar escaleras cada vez que falta algo (y confía, siempre falta).

Así que la primera salida sola con Silvio se dio como tantas cosas en mi vida: contraria a mis planes, inconveniente, solitaria e inoportuna. De hoy para hoy tenía que llegar a la oficina de la pediatra: por fin aparecía una vacuna que faltaba. Así que fueron probablemente los veintidós minutos más duraderos en la historia de la población que ha transitado de Cupey a Condado. Tomé la ruta más larga por si tenía que pararme a contener el llanto del bebé que antes de los primeros cuatro minutos ya eran gritos desenfrenados. En cada semáforo intentaba acercarle el biberón; en cada tapón estiraba la mano derecha y tanteaba hasta meterle el bibí en la boca, mientras intentaba manejar bien con la zurda (el espasmo me duró semanas). La sentencia esa de que los bebés se duermen automáticamente en los carros en movimiento parecía no aplicarle a mi neonato, cuyos gritos solo tienen una dirección: *in crescendo*. Ni hablar del estacionamiento al llegar al hospital (no poder usar el *valet parking*, por más que hubiera querido tirarme del carro porque habría sido un crimen contra la humanidad detener el tráfico del Ashford para maniobrar con coche, bultos y demás municiones de guerra).

Una vez estacionada en el multipisos, y tratando de llegar a la dichosa oficina médica, el ascensor llegó lleno más de cuatro veces, sin que nadie tuviese el gesto de bajarse y cederme el lugar. Así que terminé bajando cinco pisos a pie, con coche, bulto y cartera, enganchada en plataformas (que usé por primera vez en mucho tiempo para sentirme gente), y cargando a un recién nacido llorando a grito pelao. Llegué a la oficina con un buche en el pelo y el rímel en cascada hasta el cuello. Había seis coches en la sala de espera, antes que el mío. Todo lo que podía pasar, pasó. Silvio se meó hasta en mi pantalón, ensució todos los cambios de ropa, gastamos todos los pañales, se nos acabó la leche y hasta el pote de fórmula de emergencia. Repasemos mi apariencia: buche en el pelo, tetas goteando, pantalón meado, maquillaje corrido (estaba convencida de que, con mi suerte, me cruzaría con algún ex). De más está decir que con esta salida me curé. Había salido sola con Silvio y ambos habíamos regresado del intento; sin dignidad, pero con vida. Fue horrible, casi tan horrible como mi imaginación presagiaba.

Llegué a ir a un psiquiatra porque honestamente pensé que, de esta, había clínicamente enloquecido. Él me narró cómo tuvo una paciente que aseguraba que, cada vez que salía con su bebé, en su mente veía, oía y hasta sentía cómo una ambulancia a toda prisa atropellaba el coche y le desbarataba a su cría. El médico que la atendió originalmente le diagnosticó esquizofrenia. Ella estuvo dos años ingiriendo antipsicóticos por tenerle pánico a cruzar la calle con su nuevo bebé. Parece que ese doctor nunca leyó que las mamás recién estrenadas son más propensas a sufrir ataques de pánico o fuertes episodios de ansiedad (o *de angustia*, como hermosamente, y con mucha más precisión, los llaman en otros países).

Quizás por todo esto, estar encerrada no me ha resultado tan cruel. Los días son tumultuosos, larguísimos y cansones, pero ya están más llenos de risas y carcajadas que de llantos desconsolados. Suelen comenzar antes de las seis de —lo que solía ser para mí— la madrugada. Estamos en el medio de un campo a donde llega la brisa del mar. No suelo necesitar zapatos ni cambios de ropa. He podido ver cómo aquel bebecito vago que apenas se sostenía en *tummy time*, antes de sus nueve meses comenzó a caminar, y ya antes del año corre con objetos sumamente pesados entre sus manitas que auguran una mágica zurdera. He podido verlo todo con mis propios ojos, sin que me lo cuente una cuidadora, o a través de un videíto en mi celular mientras probablemente me hubiese bebido las lágrimas en un cubículo de oficina.

Las cuarentenas, por definición, son aislamientos basados en *más vale precaver que tener que remediar*. A pesar de que hacen referencia a cuarenta días, no necesariamente implican esa cantidad de tiempo. A través de la historia, se han aplicado no solo a las recién paridas en ciertas culturas, sino también a poblaciones enteras, si se encuentran riesgo con respecto a alguna plaga. A veces me asusta pensar que, bien en el fondo, esta cuarentena me hace sentir segura.

Cuando Silvio estaba en mi panza me aterraba caerme por lo que le pudiera pasar, pero estaba dentro de mí, yo era literalmente su escudo. A veces fantaseo con ser una mamá canguro y poder guardármelo dentro si se avecina algún peligro. Sé que ni cuarenta ni ningún número de días me serían suficientes para intentar protegerlo. Lo más cercano es este encierro preventivo.

Le he cogido un cariño sadomasoco a este toque de queda. Ya, a estas alturas, mi aislamiento se siente casi voluntario. Este tiempo sin salida lo asumo con más placer culpable que resignación, con muchos menos motetes, descalza, y sin necesitar un *playlist* para que nos calmen las olas del mar. Cuando los llantos de recién nacido se convierten en risitas de bebé y carcajadas de hombrecitos en formación, la soledad de ser mamá se siente mucho más acompañada.

No soy la mamá que pensé que sería

No siempre soñé con ser mamá; es más, no sé si alguna vez estuvo en la lista de mis sueños. Fuera de planificar de niña con mi mejor amiga que tendríamos un nene y una nena cada una; que seríamos una veterinaria y pediatra la otra, y tendríamos oficinas vecinas; que nos casaríamos con un par de mejores amigos, por supuesto; y que probablemente nuestros hijos se enamorarían entre sí, nunca tuve una visión muy clara del tipo de madre que quería ser. Mentiría si dijera que nunca tuve mis propias opiniones, desde la más imbécil arrogancia y la más atrevida ignorancia, sobre cómo las ya mamás manejaban a sus ya reales bebés. Siempre es más fácil definirse desde la negación: yo no lactaría por años; yo no dormiría con mi hijo en mi cama; yo no compraría comida en potes, no aguantaría berrinches y, de ninguna manera, perseguiría a mi hijo por toda la casa para que comiera; yo nunca dejaría que hiciera lo que le diera la gana; yo no dejaría de trabajar para criar y, sobre todo, yo no dejaría de ser yo. Y hasta ahí mi limitada periferia mi imaginaria maternidad.

Cuando decidimos ser papás, la vida me dijo: "¿adió' pero no que tú no querías?", así con doble negativo; y me hizo esperar. Tuve miedo todo el tiempo. Miedo a no lograrlo, y miedo a poder. Más de una vez nos rendimos, y más de una vez lo volvimos a intentar. Al borde de quitarnos, se lo pedí al mar. Limpié cada esquina de mi casa con agua salada de mi playa favorita. Y a menos de dos semanas de nuestro aniversario, tenía un positivo entre las manos. Esas semanas fueron de festival, de libros, de conversar con Esmeralda Santiago, de beber vino y volverme a tatuar. Como si muy dentro de mí algo me susurrara que muy pronto tendría que indefinidamente pausar.

Los primeros meses son meses de susto, de secreteo, de contar los días para poderse uno revelar. Las compras se hacen desde el total desconocimiento, cruzando los dedos, abusando de las búsquedas de internet, haciendo preguntas a madres veteranas y sintiéndose una acosada y engañada por las dependientas de las tiendas. Me negaba a gastar miles de dólares en cosas que no utilizaría... pero, como era de esperarse, los gasté. Quisimos tener la consideración de las cosas más caras comprarlas nosotros: el coche, la cuna, el moisés. Compré un *bassinet* que apodamos *el Kardashian*; me lo recomendó Ashton Kutcher en un *podcast*, lo pagué a plazos por doce meses y, aunque solo me duró seis, al sol de hoy pienso que valió cada centavo. Lo controlaba desde una aplicación en mi celular; era como una nana que se quedaba en casa, pero no te juzgaba desde su lugar. Tenía sonidos y vibraciones, meneaba al niño de lado a lado, ajustaba su volumen y velocidad según los movimientos o el llanto del bebé. Un sueño hecho realidad. Desde que lo pusimos ahí, nuestra vida fue mejorando noche tras noche, aumentando las horas de sueño ininterrumpidas, humanizándonos cada vez más. Pero todo lo bueno se acaba, y aprendió a voltearse, y en menos nada, ya podía levantarse y hasta lanzarse del moisés.

Como la vida es redonda y el universo es vicioso, esto coincidió con el nuevo año: el enero de 2020. Silvio tenía seis meses, ya no cabía en su *bassinet*, era el momento de la transición a su cuna, según nuestros planes. Compramos una casita al otro lado de la isla, solo con lo esencial. Como sería una cosa de wikenes, él dormía plácidamente entre nosotros, sobre un *mattress* en el piso y justo ahí el país comenzó a templar. Y con el país mi mente; y con mi mente, mis miedos; y con mis miedos, mi plan de maternidad. La hermosa cuna grisácea sin estrenar acumula polvo en un apartamento vacío en Cupey.

El moderno y espectacular coche fue intensamente utilizado por un total de tres tristes meses. Una mediecita que compré, que monitoreaba sus latidos, y hasta su oxigenación, la vendí a mitad de precio, dentro de su cajita original, con todo y envoltura. Las botellas carísimas, diseñadas para que el niño no se confundiera entre las mamilas y las tetas, las tuve que donar (el niño nunca se confundió; sencillamente, nunca quiso las tetas de su mamá). La maquinita que cocinaba las verduras y viandas en su propio vapor y luego las majaba ella misma, la vendí también con una sola usada (mi hijo odia la textura de los majados). Por mi sanidad mental y su seguridad física, me retiré de pelar viandas y cocinarlas, prefiero que me escupa un comercial *baby food* (el trabajo desperdiciado duele mucho más). Terminé no dándole comidas de pote, porque tampoco le gustan, no porque fui una madre orgánicamente heroica.

Silvio ignora sus juguetes y ama los receptáculos eléctricos, los platos de los perros, los *door stoppers*. ¿Cómo he logrado controlar los berrinches de mi hijo? Lavo diariamente, con jabón antibacterial, los platos de los perros, que son sus juguetes favoritos, y los *door stoppers*, con los que se rasca las encías con un placer sobrenatural. Va a cumplir un año y aún no entiende el concepto de los zapatos. Es nudista como su madre y pasa la mayor parte del tiempo solo en pañales. Heredó del padre la obsesión con la limpieza, y arrastra por la casa la escoba y el recogedor como si se hubiese robado un gran tesoro. Les arranca las páginas a los libros y les muerde los lomos. Cuando intenta acariciar a mis pobres perros, que ya tienen once años, ellos huyen espantados porque mi bebé tiene una fuerza animal. Si quiero hacerlo intensamente feliz, solo tengo que sacudir la ropa de cama y las olas de aire lo llenan de felicidad. Hay días que nada lo satisface. Hay días que come de todo. Y hay otros en los que lo persigo por toda la casa, engulléndolo con pedacitos de mi comida de cuatro a cinco veces al día. Hay días que vive de Cheerios y queso *mozzarella* en tiras. Hay días que llora tantas veces que, cuando por fin se calma, lloro yo.

No importa lo que haga, siempre me siento culpable. Algunos días pienso que no lo hostigué suficiente para lograr que comiera. Contabilizo que hace ya dos días no le cuento un cuento. Me cuestiono si le estaré estimulando el habla tanto como debería. Siento que no ha ganado el peso necesario. Y cuando por fin hago suficiente, me siento mal por el trabajo, por la casa, por los amigos cuyos mensajes no contesto porque me escriben a una hora que estoy durmiendo al nene, luego me duermo yo y cuando me levanta a las cinco, quiero ser considerada y esperar a una hora cristiana, pero cuatro o cinco horas más tarde ya lo olvidé. Cuando estoy en la computadora escribiendo, y me cierra con sus manitas el aparato o grita en medio de una llamada del trabajo, me siento fatal, porque sé que lo que él necesita es que sea su mamá. No una escritora, no una gerente de comunicaciones, sino una mamá que atienda su llanto al momento, aunque el llanto no tenga razón de ser. Al final del día, cuando se duerme, me meto a bañar, y yo también lloro sin razón: porque lo extraño, porque me siento ahogada, porque estoy cansada y estoy cansada de estar cansada; porque me siento culpable si pierdo la paciencia y decir que necesito un *break*; se siente personal y ofensivo para él, que no pidió nacer, y que solo sabe ser lo que es, un bebé que cada segundo que pasa deja de ser mi bebé un chispito más.

No ha sido mi intención crear una narrativa contra la maternidad. Ni si quiera había contemplado la posibilidad de estar escribiendo lo que nunca nadie me dijo o lo que me hubiese gustado que me contaran. Ya he dicho que nunca estuve muy convencida de que la maternidad fuese para mí. Aún con meses de embarazo y la inminencia de su llegada, todo me parecía demasiado difícil de digerir. A mi marido le chocó terriblemente cuando se lo confesé hace unas semanas, que aún embarazada no estaba muy segura de que ser mamá fuese para mí. Probablemente si hubiese mis propias crónicas —de alguien cuya opinión respetara— no hubiese dado el salto al vacío

que es esta desgarradora especie de amor. En conversaciones casuales suelo describirlo como el peor de los jevos, ese enchule fabuloso y devastador que te saca tantas sonrisas como lágrimas.
No me arrepiento. Ni de los jevos terribles, ni del jevito hermoso que parí. No arrepentirse, que conste, no es lo mismo que querer volverlo a hacer. Si naciera de nuevo, hay ciertos errores que cometería con total conocimiento de causa, pero restándoles la sorpresa, que usualmente es la que desgarra. De joven quería sentirlo todo, en esencia para poderlo describir, en la práctica para poderlo escribir. Creo que era la única verdadera razón para querer tirarme de un paracaídas, esa mirada contundente a lanzarse a la nada sin la consecuencia fatal, ese flirteo con la muerte, ese roce con el límite de lo vital. Después de que Julio se lanzara cientos de veces y terminara acurrucándose con esa muerte a la que tantas veces le coqueteó, me hizo cambiar la vista. No hay que sentirlo todo. Pa' qué. Esto no es para todo el mundo. No debería serlo. Esto es duro, difícil, jodido, dolido. Es lo más humano e inhumano que se puede ser, a la misma vez. Lo más animal y lo más sensorial. Lo más hermoso y lo más horroroso. Lo más sublime y lo más cruel.

Dicen que el olor de un bebé es como *crack* para el cerebro de su mamá. Yo a Silvio no lo huelo, yo lo respiro. La raíz de mis ataques de pánico es mi propia medicina. Mi mayor fuente de angustia es también mi tanquecito de oxígeno y aromaterapia.

No sé si es así para todo el mundo. Debo ser honesta y confesar una tendencia terrible a no saber hacer ni sentir nada a medias. Todo lo siento al extremo, al borde de los huesos, por debajo de todas las capas de la piel. Por eso no me repongo del parto, no me he curado y sigo sintiéndome partida, rajada, escindida. Un hijo es una herida abierta; se supone que sea así, ese golpe que arde; ese ese barrunto que se revuelca con el presentimiento de lluvia; ese moretón que atrae todos los cantazos; ese esguince que apenas aparece en las radiografías, pero que no permita que te muevas como antes.

Me siento rota. Partida, desbaratada, desconfigurada, perdida, ajena, tan ajena. No concibo mis reacciones como naturales, no me identifico con mis propios comportamientos; no puedo justificar mis iras, ni mis tristezas, ni mucho menos mi profunda soledad. Tengo un compañero maravilloso que acrobáticamente intenta ser trapecista de mis cambios de humor y el domador cotidiano de mis leónicas iras. Tengo coraje. Estoy impresionada de lo machista que es la vida, de lo misógino que es dios; de la carga esta fabulosa e indelegable, de que no soy capaz de dormir durante el llanto, aún sabiendo que los quejidos no son de hambre ni de dolor, hace que se me revuelquen las entrañas y me duelan como si la que tuviese hambre y necesidad fuese yo.

Lo dejo en el cuido y me rajo. Literalmente siento que se me abre el pecho, que los puntos que me hilvanaron en el perineo fueron cosidos con tendido eléctrico y recibo cantazos proporcionales a la distancia en la que me alejo.

No soy la madre que pensé que sería porque no había forma de concebir esta versión de mí antes de él. Una amiga brillante, a quien respeto y admiro, la misma que me decía que la única forma de hacer patria era pariendo y criando buenas personas, me confesó que no quería tener más hijos porque, si algo fatal le ocurriera a su bebé, ella necesitaría poder morirse también. Parir a otro ser humano, la imposibilitaba de tirarse a morir si el primero le faltaba. No lo voy a negar, me pareció una locura. No es que ahora por fin la entienda, es que reconozco exactamente el sentimiento. Cuando intento equiparar el amor de madre a otros amores, medirlo contra otros afectos, distanciarlo de las cosas más grandes e intensas que he sentido y sufrido, la única noción que no se parece a nada más, es la profunda certeza de que no podría sobrevivir su ausencia. El *me voy a morir sin ti* de las rancheras y los boleros; el *si no te tengo, me falta todo,* que habré berreado en borracheras; el *qué voy a hacer sin ti*, que probablemente me he creído en la disolución de mis más feroces enamoramientos; se vuelven risibles a esta distancia, y solo se sienten honestos y certeros aplicados a Silvio.

No hay nada más destructivo que su llanto, ni nada más reparador que su risa. Es como si me hubiese curado todas las tristezas viejas, como si me hubiese sanado todas las heridas acumuladas. Vamos, es como si me hubiese pasado la vida con los hombros y las caderas dislocadas, sin saberlo, y en un movimiento violento él me las hubiese devuelto a su lugar. Todos hemos visto la escena cinematográfica, el crujir de la articulación desplazada, los gritos viscerales de dolor cuando lo acomodan donde va, y en cuestión de instantes el alivio ese milagroso, mágico, medular.

Intensa: siempre lo he sido, siempre lo seré. Silvio me volvió inmensa. Inconmensurable, inmedible, imparable. Menos rabiosa pero mucho más fiera. Con una visión de mundo mucho más amplia, pero para el resto del mundo demasiado específica. Quizás porque a la hora de la verdad nunca nada me ha importado tanto como esto. Porque estoy convencida de que los hijos no se aman con las mismas partes del cerebro ni con los mismos poros de la piel. Cuando me llora cerca del pecho, siento que dos manos de hierro me vuelven los senos dos bolitas de papel.

Mi bebé es de agua y fuego. Me quema las raíces, me renueva las lágrimas y me ha florecido donde no se ve. Así que ando visiblemente mustia, pero prendida por dentro. No hay nada más devastador que su llanto, no hay nada más adictivo que su olor, nada más reparador que su risa. Llegó Silvio a revolcarme los barruntos, a curarme dolores viejos y sustituirlos por dolamas tan crueles como pequeñitas, a llenarme de tajitos invisibles que arden sin cesar, a inundarme de miedos subterráneos que se revuelcan a la menor provocación. La intensidad se ha vuelto inmensidad; ya no soy la misma, ya no quepo en mí, ahora soy mamá.

A un año de ti

Hace tiempo que no escribo cartas. Quizás porque siempre he tenido la mala costumbre de concebir las cartas como cartas de amor, y es probable que lo más parecido a una que haya escrito en esta década hayan sido los votos matrimoniales que le leí a tu papá hace ya casi cinco años. Incluso las notitas diarias en *post-its*, en recibos de compra, en pedacitos de bolsas de papel, han ido mermando. Es más, hasta los textos de romantiqueo se han convertido en mensajitos tipo telegrama: "bibi", "*pampers*", "leche", "buche". Cosa que a diario me propongo modificar.

He tenido problemas para hablarte desde los inicios. Cuando me enteré de tu venida decidí escribir un diario, porque me sentía tan extraña dialogando con mi ombligo, que me refugié en mi siempre casa: la escritura. Terminé comprando dos libretas, ambas idénticas, con una imagen de un camino largo y bonito en la portada; sobre el sendero aparecía escrito en una tipografía esperanzadora, algún cliché tipo *la aventura espera*. Eran de esas libretas a las que se les pueden arrancar las páginas de la argolla con facilidad. Puede que las haya escogido así porque presentía lo mucho que me iba a equivocar. Compré dos, anticipando (fallidamente) que me desbordaría, que no podría contenerme, y no pararía de escribir. También, por si llegaran a cumplirse los presagios de que, dentro de mí, podría haber dos, que se basaban, en parte, en lo precoces de todos mis síntomas y por el constante chiste de mal gusto sobre el tamaño de mi barriga. O tal vez porque ya desde entonces el barrunto me susurraba que estaba preñada de tu dualidad. Apenas escribí unas cuantas hojas, y te miento si te digo que sé en dónde están actualmente las dichosas libretas. Tu papá, por el contrario, te hablaba constante y continuamente. Así que, para hablarte, me amparé en ese don suyo, como lo hago cuando quiero pedirle algo a alguna divinidad. Verás, como rezo tan poco, me da vergüenza, y reniego de esta fe tan utilitaria y a conveniencia que de vez en cuando me visita; así que cuando alguien amado está enfermo o pasando por una dificultad seria, le pido a tu papá que rece por ellos, que rece por mí. Así que literalmente me paso ofreciendo los rezos de mi marido: *le voy a pedir a Chan que rece por ti.* Para comunicarme contigo, también le pedí: cuando hables con mi panza, dile que mamá lo ama, aunque ahora mismo no sepa qué decir, ni mucho menos cómo hacerlo.

Sabrá Dios si por eso no eres de mamá. *Los nenes son de mamá* es el mantra que te susurran, consolándote, las otras mamás cuando dices que no vas a tener una nena. Creo que desde ahí se construye la masculinidad: *no es una nena.* En los sonogramas les toman fotos a los pipís con un ímpetu de *paparazzi*; a las nenas no les hacen ese *shooting* genital prenatal. Recuerdo preguntarme qué rayos haría yo con todos esos *close-up* de un pipí en desarrollo.

No eres de mamá. Desde los primeros baños que te di me encargué de repetirte que eras tuyo, tu-yo. Sin embargo, no contaba con que fueras tuyo y de todo el mundo, menos mío. Le dices mamá a todo lo que se mueva, menos a mí. A veces pienso que crees que no soy más que una tía alegre, alocada y torpe que, por supuesto, nunca te dio la teta. Y cuando ya casi me resigno y me rompo (que para mí son siempre la misma cosa), ahí me sueltas un ma-ma-má impar e inusual, con esa leve sílaba añadida, casi siempre pidiendo algo, casi siempre como último recurso, cuando se acerca la noche, cuando ya no queda más nada que buscar. Me recuerda mi teoría sobre la fe: lo último que se pierde no es la fe, es el miedo, y cuando tenemos miedo, no importa la edad que tengamos, llamamos a mamá.

Veo que apenas quedan resquicios de aquel bebé coronado con una mata de pelo negro, con pechito de paloma y cuerpecito de gato, con manos inmensas y llanto huracanado. Recuerdo leer un artículo sobre los temperamentos de los infantes, pasar mis ojos por los subtítulos, como cuando uno pesca en una sopa de palabras, y leer *intenso*. No había más nada que buscar, realmente ni siquiera tenía que leer la descripción, ahí estaba mi bebé: intenso como su madre, el pobre. En casa te decíamos *0 a 100*. El autor de aquel artículo hablaba de explosiones de carácter, de volatilidad, de niveles de llanto como de una hambruna de días y de una incapacidad de ver la botella o la teta que se ofrecía, renegando con la cabecita de lado a lado, cegado por el desespero. El experto terminaba intentando calmar al lector: no era una cuestión de ira ni de un futuro mal carácter; sencillamente, te había tocado un bebé pequeñito con una personalidad del tamaño del universo sideral. Mentiría si te dijera que aquello me tranquilizaba.

Ni las rabietas ni la intensidad han mermado. Tu marea ha sido siempre constante, siempre férrea. Pero ni los artículos ni los sonogramas me alertaron de tus sonrisas. La primera vez que me sonreíste despierto y como a propósito, te pregunté si te estabas riendo conmigo, y te volviste a sonreír largo y tendido, mirándome a los ojos con intención y alevosía, y yo me puse a llorar a bocajarro, asustándote tanto que procediste a llorar largo y tendido, con todo el esplendor de nuestras intensidades.

Un día te dije, como hablando conmigo misma, porque todavía a veces sigo viendo borrosas las líneas: no te voy a decir que eres lo más lindo que me ha pasado, porque en realidad me han pasado cosas bien bonitas que no me han dolido y que, además, me dejan dormir. *¿Tú le estás hablando a nuestro hijo?*, me preguntó espantado e incrédulo tu papá. Sí, porque es la verdad. *Wow*, dijo él; solo *wow*.

En el mundo de los adultos solemos percibir el amor romántico como la más alta forma de amor. Entonces el amor de madre es como un amor supremo, pero no algo a lo que uno aspira. Ahora, desde el otro lado del romance y la maternidad, algo se me hace espeluznantemente claro: nadie quiere amar como una madre. Es un contrato leonino y una relación prácticamente unilateral. A veces me encuentro diciéndote que nunca sabrás cuánto te amo; luego digo, bueno, cuando tengas hijos lo entenderás. Entonces me corrijo al instante, al percatarme de que serás papá, no mamá, y, con el perdón de todos los hombres hermosos y los padres excepcionales, no es lo mismo ser mamá.

A tu papá lo miro dormir contigo y me vuelvo agua, me derrito. Mi amor hacia a él ha volado en cantos con tu llegada. Le he descubierto unos pliegues de ternura, unas capas de protección y entrega que desconocía, y que transforman mi admiración en otro monstruo distinto al amor que nos teníamos antes de ti. Sin embargo, yo decido amar a tu papá todos los días, yo lo escojo en las mañanas y renuevo mis votos por las noches, aunque a veces lo quiera matar durante el día. Pero a ti no te escojo. No hay decisión en mi devoción. No hay raciocinio en el ejercicio. Mi cerebro (caprichoso desde siempre) se ha empecinado contigo. Eres esa canción que rebota en el subconsciente y tu risa ese único antídoto, la canción por fin encontrada y puesta en infinita repetición: el alivio al escozor del cerebelo. Eres un pensamiento obsesivo, un reflejo compulsivo, una idea que te invade en los momentos menos oportunos. Ya mi primer pensamiento mañanero no es el hambre, al menos no la mía.

Hay una cosa extraña de amar en el límite del cansancio y la desesperación. Desde que naciste, por lo general, me levanto contigo por lo menos una hora antes que tu papá. En esos primeros meses, guardaba un resentimiento silencioso y matemático que calculaba la diferencia en horas y minutos de sueño y proyectaba la deuda con intereses a plazos indefinidos. Es difícil compartir la crianza sin resentir. Es casi imposible ser mamá y no comparar. Pero es inimaginable e inhumano hacer todo esto sin compartirlo. En las mañanas, antes de llegar a cinco minutos despiertos, ya he recibido golpes de biberones, y ya has tumbado muebles, canastas y escobas a tu paso. Cuando abro la puerta corres hacia afuera como si tuvieses prisa por huir. A veces me culpo, por sacarte del hospital con un *onesie* que decía "con ganas de comerme el mundo". Y como lo que resistes persiste (decía mi abuela), te resistes a todo lo que yo quisiera que persistiera: me sellas los labios ante la presentación de la comida, te niegas a decirme mamá... Ah, pero para todo lo físico, para el funcionamiento motor y la coordinación (todo de lo que yo carezco) parece que siempre estuviste en primera fila. A los ocho meses dejaste el gateo, y en poco tiempo pasé de contarte los pasos a intentar alcanzarte jalda abajo corriendo con palos en mano, mucho antes de cantarte *feliz cumpleaños* por primera vez.

Trato de cocinar mientras me halas los pantalones, te enredas en mis piernas y reclamas mi atención. Intento ir al baño, y tú ahí, conmigo, golpeándome los muslos. Me baño de prisa y me lavo la cabeza con un ojo siempre abierto, mientras te dejo jugar acariciando el acondicionador en la poceta. He recurrido a los libros de audio porque me parece que nunca volveré a tener el tiempo de leer. Caliento y recaliento mis cafés dos, tres, cuatro veces, antes de rendirme y entender que ya volverán los tiempos de cafés pausados y desayunos silenciosos. A veces, cuando gritas a todo pulmón mientras tu papá y yo intentamos decirnos algo, nos reímos, y pronunciamos exagerando el movimiento de los labios para poder leerlos desde extremos opuestos del pasillo: *¡OK; hablamos en el 2038!* Por ahora, fortalezco mis brazos, maniobrando con el sartén en la hornilla más lejana y contigo enganchado en la cadera, averiguando, supervisando, intentando meter tus manitas en todo, en todo lo mío, en todo lo sucio, en todo lo caliente, en todo lo peligroso, en todo lo que parezca estar vivo.

Quizás escribo esto más como una entrada de diario que como una carta. No quiero olvidar nunca que te decíamos Bartolito, por el gallo que cantaba como todos los animales de la granja, menos como gallo. *No, Bartolito, eso es una vaca*, y tu risa derramada como si supieses el orden supuesto de las cosas. Ya escuchas al gallo maullar, ladrar o mugir, y mueves la cabeza de lado a lado diciendo que no, alzando el dedito índice para reforzar la negación, y sonríes de ladito con un gesto que leo como una mezcla de ternura y resignación. La misma cara que me pones cuando hago locuras, cuando grito contigo, cuando sacudo la maranta de lado a lado para hacerte reír y me miras con cara de: "esto fue lo que me tocó, ¿qué voy a hacer con ella?", y por instantes juraría que eres tanto más viejo que yo. Quiero recordar por siempre que la gente, sin conocerte, te percibían como "perfecto" o "el bebé más feliz del mundo", cosas que aún me erizan, me asustan y me estremecen. Aún conociendo de primera mano tu facilidad para convertirte en Facundo el Iracundo cuando intentamos contenerte, cada vez que alguien hace referencia a tu felicidad, a tu notable y constante alegría, siento un alivio indescriptible. La mayor parte del tiempo siento que improviso con lo más importante de mi existencia, pero si al menos eres un bebé feliz, puedo dormir esas pocas horas que me prestas, casi tranquila.

A veces, para tomar la siesta me usas como si fuese tu almohada, te acomodas y me reacomodas según tu mayor comodidad. Casi siempre, si es de día, pones tu oreja en mi ombligo. Como si yo fuese una gigante caracola y a través de mí regresaras a tu mar. Ese mar al que le pedí que me concediera tenerte hace más de veinte meses ya. Hay algo en el sonido de mis tripas que, por ahora será tu siempre casa, yo, tu primer hogar. De noche, sin embargo, sueles encaramarte en el pecho de tu padre, como si fuese el lugar más alto y seguro del mundo. Yo los envidio un poco a los dos. Sé de primera piel el calorcito que emana del pecho de tu papá, y resiento cada suspirito dormido que no me toca. A mitad de noche a veces te regresas. Me enganchas tu nuca en mi garganta. Es una llave que apenas permite atravesar el aire por mi tráquea. Aunque, de todos modos, creo que ya casi no recuerdo cómo era respirar a total capacidad. Desde mitad del embarazo, la panza te pilla la respiración. Luego del parto, te la pilla la ansiedad. Así que celebro ese enganche, esas piezas de rompecabezas en las que se convierten nuestros cuellos. Te inhalo, y me recargo. Te respiro, y me voy resucitando. Te aspiro, y poco a poco hago las paces con la vida, con esta yo que aún no reconozco. A estas alturas te sobrevivo y hasta te gozo.

Me recuerdas a mis peores amores. A la intensidad de las cosas que no son sostenibles. El aferre ese férreo a lo que sabes que no te pertenece. La certeza esa de que cada segundo que ya pasó fuiste lo más mío que serás. La resignación de que amarte bien es soltarte cada vez más. La aceptación de que mientras menos me necesites, mejor te amé.

Desde que te tengo, o desde que te tuve... más bien, desde que me tienes, me has endurecido las facciones y me has ablandado todo lo demás. Nadie me dijo que ser mamá te daba un acceso no solicitado al túnel del dolor de todas las madres. Entonces, aunque siempre has sabido que todo el mundo es hijo de alguien, es ahora cuando, si algo malo le pasa a cualquier persona piensas inmediatamente en su mamá. Antes no podía ver películas que trataran de padres que se mueren porque nunca quiero imaginarme mi vida sin mi papá. Antes no podía ver tramas que contuvieran el tema del Alzheimer porque el barrunto del olvido de mi abuela todavía me desborona los huesos. Antes no podía ver ni comerciales de perros abandonados porque me derrumbaba el dolor de todos los perros que he amado y que antes lograban enternecerme más que la risa o el llanto de cualquier bebé. Antes. Ahora no puedo leer noticias de niños. Ni soportaría ver videos de bebés a punto de ahogarse, aunque supiera que al final serán salvados. Ahora, leer que a un hombre lo matan rodilla en cuello, y que entre sus últimas súplicas se colaba más de una vez un llamado a su mamá, me hace querer incendiar edificios y romper cristales y articulaciones. La foto de ese hombre cuando era niño, dormido en los brazos de su mami, me persigue y me vuelve agua. Pensar que esa mamá seguramente siguió rebuscando el olor del cuellito de su bebé, aun después de su muerte, me hace cantos el espíritu.

Y es que la maternidad te da un acceso sin regreso a lo visceral. Me ha asomado a unas oscuridades que desconocía en mí. Estando aún muy temprano en mi embarazo, veía una serie en la que, en un episodio una mujer corría por un parque empujando un coche de bebé y, de la nada, se encontraba con un oso gigante. El oso le rugía con toda su majestuosa ferocidad. Ella, como un resorte, se paró frente al coche, poniendo su cuerpo entre la bestia y su cría, y le empezó a gritar, a gruñir, a rugir. El oso retrocedió. Y yo, lloré. Ahora mismo, mientras lo tecleo, siento la garganta contrayéndose otra vez como esa vez. En aquel momento no entendía por qué aquello me *triguereaba* de esa manera (perdón por la palabra inventada, pero *detonar* se me queda coja). No podía detener el llanto. Tu papá, con toda la seriedad del mundo, y en un honesto intento de consolarme me decía: pero si tú ya no corres; mama, además, en Puerto Rico no hay osos. Como de costumbre, me hizo reír; hipidos de llanto mezclados con carcajadas. No es eso, decía yo, aún ahogada. ¿Y qué es? No seeeeeeeeé. Y era cierto. No sabía.

Lo que antes eran corridas para despejar mi mente, se han convertido en caminatas empujando un coche para calmar tus llantos. Quizás, como apenas escribo, casi no leo, y solo puedo escuchar *podcasts* o *audiobooks*, irme de corrida o caminata contigo es lo más cercano a escucharme, a aclararme, a encontrarme. Pero como disfrutas retarme y confrontarme, no te gustan los paseos silenciosos, exiges música... y a mí que me encantaba pasar inventario de mi respiración. Lo mío son las palabras o el silencio; lo tuyo es el ruido, el escándalo y el movimiento. La música te posee. Cuando escuchas música no puedes parar de bailar, aunque estés en plena rabieta, aunque estés metido en tu propio llanto; meneas la cabecita y los hombritos y hasta das unos curiosos pasitos de baile, porque la música en ti siempre puede más. A mí la música me gusta con letras, y si es bailable, pues estrictamente para bailar, no para estar sentada, ni para correr jadeante, solo para bailar.

. Como lo poco que leo en los últimos meses han sido lecturas de temblores, tsunamis, pandemias y huracanes, se supone que la corrida sea ese espacio de silencio e introspección. Tu papá se ofrece a quedarse contigo para que me vaya a correr sola. Sin embargo, tenerte al frente me fortalece, como si anduviese armada, cargada de algún súper poder. Puede ser la (falsa) noción de que una mamá está protegida, de que hay algo de sagrado en la imagen (¿quién se va a meter con una madre y su bebé?). Tu papá me da un *taser* y un palo, por si los perros. Yo no le temo a los perros, sé que mi cuerpo se tirará entre medio de ti y lo que venga, sin pedirme permiso siquiera. Sin embargo, ser mujer y correr es un deporte extremo. Ser mujer y existir es un juego peligroso. Así que a veces, me doy la vuelta y regreso antes de tiempo, si veo hombres en el camino y no necesariamente por la pandemia. Más de una vez algún carro me ha seguido demasiado cerca, demasiado despacio, su conductor mirándome como si pudiera rasgarme con los ojos, o lanzándome piropos que erizan la piel, pero del asco. El miedo primordial de las mujeres no suele ser la muerte, no suele ser la pura violencia. Pero desde que te supe, mi miedo supremo es que te pase algo. Después de eso, lo peor que me puede pasar, es que me pase algo a mí frente a ti. Me imagino escenarios terribles, y sé que en cualquier caso haría lo indecible por no despertarte, por que no te enteraras de nada. Me aterra sentirme capaz de fingir que todo está bien con tal de no traumatizarte. Por eso lloraba al ver a la mujer que le gritaba al oso. Porque las mamás nos reconocemos; nos vemos desde lejos, y presentimos ese poder y ese profundo dolor.

Por eso he empezado a rezar desde que naciste, aunque estrictamente por ti... Mentira, rezo un poco por mí también, para que mi cuerpo aguante esta feroz intensidad. Para que mi cerebro dome estos miedos majestuosos. Para que mi antiguo raciocinio logre rescatarme de esta locura que es amar de esta inhumana manera. Que se multiplique el tiempo para poder sentarme a escribir, porque las palabras no dichas —o en mi caso, no escritas— ya a estas alturas me pesan. Que tú, sin embargo, sigas siendo liviano como la música. Que sigas siendo capaz de cargar lo pesado como si fueran plumas, con tu mágica zurdita. Que sigas sabiendo mucho más de lo que hablas, contrario a mí. Que aprendamos a amar con compasión a esta versión mía que es demasiado *tu-ya* para mi gusto. Que yo siga siendo siempre tu caracola, y tú, la furia y la calma de mi mar.

PARTE II
TU CUERPO SABE MÁS QUE TÚ

Ana Teresa Toro

Miedo a crecer

Estoy en expansión. Lo que antes era una cintura discreta, ahora es una circunferencia extraña que no sé bien cómo mover, ni dónde colocar. Después de cualquier comida, el ombligo comienza a estirarse, formando una especie de sonrisa que frente al espejo se ríe de mí. Pero eso no es todo. Después de más de quince años usando la misma talla de sostén, mis senos ahora se aprietan contra las blusas y los vestidos, se desparraman por los bordes de los sostenes, que ya no me sirven, y reclaman más tela, más espacio. Estoy creciendo. Mi cuerpo está creciendo. La piel estira para que haya espacio suficiente, para que él pueda crecer, expandirse, abrirse paso. Estoy embarazada.

La escritura, además de un oficio, siempre ha sido para mí una terapia. Escribo para entender bien lo que estoy pensando. Es el único código que logra traducir mis percepciones, sentimientos y cuestiones de la cabeza a lo concreto. Cuando no sé exactamente lo que opino sobre algo, escribo. Cuando no sé si estoy triste o furiosa, escribo. Cuando no sé si tengo miedo o ansiedad, escribo. Por lo general, el texto me responde las interrogantes conocidas y las desconocidas también. Al escribir entiendo por fin lo que estoy pensando y en el proceso me surgen preguntas que no me hubiese planteado de otro modo. Escribir es hacerme trampa, engañarme y ganarme, convencerme y consolarme después de la escaramuza de palabras.

Lo que sucede es que hasta hoy no había podido escribir sobre el embarazo. En primer lugar, por una cuestión muy concreta: entre todas las cosas extrañísimas que le suceden al cuerpo cuando se está en este estado, sucede que el síndrome del túnel carpiano se agudiza, y llevo semanas con las manos adormecidas y los nervios pinchándome el vivir hasta los gritos. En este punto, sin embargo, ya es peor el dolor de no escribir que el de las manos; así que aquí estoy. En segundo lugar, porque lo que un embarazo pide de una mujer es la sumisión absoluta ante la ocupación de su cuerpo. Pero yo tengo vocación de resistencia; ya han pasado más de veinte semanas, voy a mitad del proceso y es tiempo de hacer un esfuerzo por entender lo que está pasando.

Cuando comencé a expandirme, lloraba frente al espejo ante la imagen tan ajena que veía al otro lado. Me dije que era una cuestión de vanidad, pero muy dentro de mí sabía que era algo más que eso. A pesar de la sensación de plenitud que genera el saber que una sirve de canal para la llegada de otra vida, tenemos derecho a la contradicción; se puede acceder a una alegría y, a la vez, llorar de espanto.

Aquel llanto frente al espejo me era familiar: lloraba porque tenía un miedo rotundo a crecer. Un miedo a ser grande. Un terror a ocupar espacio. He sentido este miedo antes. Las veces que me ha llegado algún éxito profesional o personal, la poca o mucha atención que este ha generado me provoca el deseo de hacerme pequeña, de esconderme, de echar las luces a un lado. Me gustaba medir cinco pies y usar tallas pequeñas porque, de una manera concreta, esto me garantizaba la huida. Era muy fácil pasar desapercibida, escurrirme, no llamar la atención.

Así que ya mi niño empieza a darme lecciones, sin haber nacido. La primera: que mi feminismo es un proyecto en construcción permanente. Escribo acerca de esto con vergüenza, porque la siento de verdad. Yo, tan feminista, y ahí estaba, respondiendo con esos temores al constructo social que sentencia que las mujeres, mientras más pequeñas, livianas, menudas y silenciosas, mejor. Claro que puede tener mucha gracia la pequeñez, pero solo si no se asume como un lugar seguro para evitar alcanzar todo nuestro potencial.

De manera que esta vez escribo, no ya para entender lo que me sucede —creo que en el fondo un embarazo pertenece a los confines del Misterio, así, con mayúscula—, sino que escribo para ver si las palabras se tornan conjuro y logro asumir en plenitud este proceso de crecimiento y expansión. Escribo para, de una buena vez, perderle el miedo a ocupar espacio.

Una muerte pequeña

En el fondo siempre hemos sabido que somos una multitud. Nos habitan todas las versiones del yo que hemos construido a lo largo de nuestras vidas. Somos ese coro de versiones de nosotros mismos que al final del día compone la complejidad de nuestra identidad, siempre tan cargada de contradicciones, siempre tan líquida. Pero hay algún punto en el que nos estacionamos por un buen rato en uno de esos yo; y cultivamos esa identidad que resulta de las duras lecciones aprendidas a través de los años, de las decisiones tomadas en materia de valores, y hasta de gustos y aficiones. Nos toma años escoger, definirnos desde lo más simple —cuál es mi estilo, mi forma de hacer las cosas: cocinar, leer, bailar— a la más compleja —cuáles son mis valores, en dónde me posiciono políticamente, creo o no en la existencia de un ser supremo, en fin, a qué tribu pertenezco—. Y una vez esas interrogantes empiezan a contestarse, descubrimos una identidad propia en la que, finalmente, nos sentimos cómodos. En ese momento ocurre una madurez particular, y aferrarse a esa sensación tan parecida a la plenitud es lo más natural.

Lo que sucede es que la vida no permite que nos acomodemos demasiado. Con cada año que pasa y cada nueva experiencia, nos va creciendo encima una nueva muñeca rusa, queramos o no. Con treinta y una semanas de embarazo, esa imagen se ha instalado en mi cuerpo de una manera cuasi literal. Me está creciendo otra mujer encima. Mientras se forma mi niño en mi interior, afuera se estira mi piel, y se transforma el cuerpo de la mujer que he sido hasta ahora y que tanto trabajo me había dado construir. Estoy experimentando una pequeña muerte de ese yo que, contra todo pronóstico propio, logré amar.

Estoy de luto. Se muere la mujer absolutamente libre que tiene por costumbre viajar sola en aviones; se muere la mujer que siempre se pensó a sí misma desde una soledad placentera; se muere la esposa casi recién casada que agarraba cualquier abrigo y, sin pensarlo demasiado, se iba de aventura con su esposo, un hombre que siempre la ha querido en libertad. Se muere la mujer que nunca ha visto manifestarse el amor por otro ser en una vida nueva desde su propia carne. Se mueren tantas cosas ante esta nueva realidad.

Sin embargo, si bien hay luto, no hay duelo aquí. No se trata de una muerte del todo doliente. Es una muerte invocada, deseada y, sobre todo, necesaria para la llegada de mi niño al mundo. Yo elegí ser madre, y siento una larga lista de sentimientos nuevos que aún no alcanzo a nombrar, pero que reconozco nobles y felices. Lo que ocurre es que podemos anhelar el nuevo yo que seremos —en mi caso, convertirme en madre— y añorar, extrañar, despedirnos y sentir una nostalgia profunda y visceral por el yo que fuimos, y que observa cómo, inevitablemente, se va cubriendo con otra pieza de la matriuska. Nada más honesto que esa contradicción.

Me dirán que una no se muere nada; que hay que luchar por mantener la identidad propia que una se ha ido forjando; que se puede ser todo a la vez y tenerlo todo a la vez... pero no nos engañemos, muy en el interior —quizás cerca de la niña que fuimos— habita una realidad irremediable: podemos ser multitudes, pero no las encarnaremos todas a la vez.

Sé que volveré a viajar sola y a hacer muchas de las cosas que he hecho en estos treinta y cinco años, pero también sé que es inevitable que todas esas experiencias pasen por un nuevo filtro. Estar en paz con eso, e incluso desearlo, no significa que no se pueda detener una por un rato y aceptar que no hay manera posible de crear una nueva vida sin atravesar una pequeña muerte.

Las lecciones del dolor

Solía escribir rápido y teclear con fuerza. Tanto así que a la mayoría de los teclados que he usado en mi vida se les han ido borrando las letras. A veces, incluso, escribía tanto o más rápido que el flujo de mis pensamientos. Me creía pianista cuando escribía, cambiando de ritmo con el pulsar de esa tecla ancha que marca el silencio entre palabras. Cuando no daba con una palabra, movía las manos así frente a mí, como si la frase estuviera perdida en el aire y yo pudiera pescarla con agitar mis dedos en el vacío. Siempre he sabido que pienso con las manos.

Si alguien me preguntaba algo a lo que no sabía responder, solía escribirlo primero por esa misma razón: hay gente que piensa con la cabeza, y hay otros que pensamos con las yemas de los dedos. O lo que es lo mismo, mi proceso de pensamiento es motor. Mi cuerpo le sirve a mi cabeza como traductor, y no concibo otra manera de pensar que no sea a través de la escritura. Así funcionaba mi vida hasta hace seis meses.

Nadie te lo advierte, pero el embarazo te pide una serie de cesiones y rendiciones, una entrega total a la experiencia, que si una la anticipara con cabeza fría —o alguien le explicara lo que viene, sin maquillar tanto la realidad— se lo pensaría un poco más. Yo estaba lista para entregar mi tiempo, hacer cambios drásticos en mis rutinas, incluso estaba lista para las transformaciones físicas y los malestares naturales que vendrían con el proceso de gestar una vida. Para lo que no estaba preparada era para tener que entregar la médula de mi esencia como ser humano, como mujer, como persona. No imaginé jamás que el embarazo me cobraría mis manos, que me costaría el pensamiento; no pude prever que para traer esta nueva vida al mundo tendría que pasar seis meses con dolor crónico, producto del síndrome del túnel carpiano más violento que he experimentado en mi vida, y que entregar mi cuerpo a esta experiencia implicaría también entregar la escritura, es decir, mi vida toda.

Solía escribir rápido, y ahora mismo llevo más de una semana tratando de completar esta columna. No porque la idea no esté clara, sino porque durante los pasados seis meses mis manos se han ido atrofiando tanto debido al nervio pillado, que los dedos me funcionan por menos de un minuto antes de dormirse o simplemente endurecerse de tanto dolor. Me despiertan por la noche los corrientazos eléctricos del nervio tratando de llegar a las yemas de mis dedos, y me he visto dándole golpes a la mano contra la pared o fantaseando con martillarme la muñeca, pues, como suele pasar cuando algo nos duele mucho, buscamos infligir un dolor aún mayor que nos distraiga del que estamos experimentando. Esto aplica igual a todos los dolores: los del cuerpo y los del espíritu. Vaya mi abrazo y todo mi respeto a la gente que vive la vida con dolor crónico. El dolor —sea físico o emocional— es un filtro muy denso a través del cual mirar el mundo. Lo atrofia todo. El cuerpo. Las querencias. El pensamiento.

Lo he intentado todo en el universo de los remedios: acupuntura, masajes, terapia, ejercicios... Sumerjo la mano en parafina todas las noches. Frío, calor, baños de sal de higuera, alimentos y variedad de tés antiinflamatorios, parchos de lidocaína, inmovilizadores, y en una ocasión, hasta envolví los brazos en hojas de repollo (de lo que solo obtuve un sarpullido salvaje). Nada funciona, y mucho menos en esta etapa final del embarazo, en la que la hormona relaxina —que se ocupará de expandir y relajar mis caderas— hace lo mismo con todas mis coyunturas y huesos, y abona a pinchar el nervio. En fin, no hay nada que hacer excepto seguir aguantando el dolor y viendo cómo se me caen los vasos, y cómo, con cada semana que pasa, la mano pierde movilidad, se va deformando, y escribir, ese ejercicio que siempre ha sido sinónimo de libertad, se va convirtiendo en una tortura dolorosa.

No cuento esto para hacer un archivo de calamidades o para invitar a que me toquen el violín más pequeño del mundo. Lo cuento porque estoy segura de que cada mujer embarazada tiene su propia versión de este malestar, e incluso fuera de los confines de un embarazo, es posible entender la sensación de tener el cuerpo tomado, ocupado, invadido por el dolor.

No tengo vocación de mártir, y detesto los discursos donde el camino a la belleza, a la felicidad o a la redención son solo posibles por la vía del dolor y el sufrimiento. Por eso me atrevo a afirmar que el embarazo, en mi caso, ha sido una experiencia violenta de ocupación total. Sé que el imaginario de la embarazada virtuosa jamás permitiría semejante declaración. Es un tabú quejarse de algo así; la sociedad es muy clara con las mujeres embarazadas: o emulas a la Virgen María en virtudes, paciencia y sufrimiento, o eres una malagradecida, malamujer, malamadre, malapersona y un largo etcétera de palabras a las que podemos insertarle el prefijo de manera forzada.

Lo que sucede es que si una lección me ha dejado el dolor, es que hay muchas más definiciones de las que conocemos de lo que es ser una mujer, y ser una mujer fuerte. Hay mujeres que viven unos embarazos muy llevaderos, y por ello se consideran fuertes. En mi caso, he aprendido que rendirse, entregarse, darse toda al dolor, sin resistencia, es la forma de la fuerza que el embarazo me ha permitido conocer. Cada vida nueva reclama un cuerpo antes de crear el propio. Mi hijo me ha pedido mis manos y yo se las he entregado. El dolor pasará. La fuerza, pues, no es cuestión de resistencia, sino de dejarse atravesar.

La sabiduría de la cueva

Escucho *podcasts* y audiolibros. La mayoría de las veces porque me interesan los temas, pero también cuando simplemente no quiero escuchar mis pensamientos. El susurro de otras voces siempre está ahí disponible para calmar la propia. Es la huida perfecta.

Y lo ha sido en estas últimas semanas de embarazo en las que me ha tocado iniciar un confinamiento casero, incluso antes de que la pandemia nos obligara a todos a repensar el modo en que nos movemos y nos relacionamos en el espacio. Para mí, lo de la cuarentena y el confinamiento no se sienten como una experiencia nueva; la novedad es el temor que la enfermedad genera. El año pasado, mientras completaba el manuscrito de un libro, viví unos seis meses en modalidad monacal. Me levantaba al amanecer, hacía una pequeña caminata en el parque, desayunaba, y luego no me movía del escritorio hasta las dos de la tarde. Después almorzaba por media hora, y volvía a escribir hasta las siete de la noche. A esa hora salía a tomar una clase de pilates y regresaba a casa, cenaba algo sencillo, y de nuevo al escritorio hasta la medianoche. Y así todos los días.

En ese periodo no solo terminé el manuscrito, sino que trabajé en la relación más compleja que cualquier ser humano puede tener: la relación con uno mismo. La creación de una rutina y el ajuste a ella con disciplina me permitieron tener las conversaciones incómodas que tenía pendientes conmigo misma. Preguntas como: ¿esto es lo que quiero estar haciendo con mi vida?, ¿qué tengo que hacer para desprenderme de esa pena, de ese dolor, de aquel rencor?, ¿en qué fallé en aquella relación que acabó mal?, ¿cuánto de lo que digo anhelar lo quiero de verdad, y cuánto responde a lo que otros esperan de mí?, ¿qué cosas puedo controlar y de cuáles tengo que aceptar que no están en mis manos? ¿Cuál es la raíz de esta tristeza? ¿De dónde nace la alegría cuando la siento?

La lista de preguntas es mucho más larga y, probablemente, más incómoda, pero por ahí fue la cosa. Luego vino el embarazo y, con él, la inevitable salida de la cueva de escritura. Llegaron los reencuentros con familia, amigos y colegas. Llegó el año nuevo y, con él, los terremotos, el tercer trimestre y, ahora, una pandemia. Ahora todos —y ese *todos* nunca ha sido más inclusivo— estamos llamados a quedarnos en la cueva del hogar, enfrentando los recovecos de la casa en los que hemos acumulado objetos que nos recuerdan a aquellos que fuimos en otros tiempos; espacios que habían sido tan fáciles de ignorar en el día a día, cosas de las que siempre habíamos podido escapar.

En la cueva, el tiempo se mueve más lento, no solo porque nuestro desplazamiento físico es más reducido, sino porque, contrario a lo que sentimos cuando salimos a la calle, nosotros ya no pasamos por el tiempo: el tiempo nos atraviesa en esta quietud. Nos obliga a detenernos, a mirarnos, a enfrentar las memorias y los rastros de lo vivido que nuestras casas conservan entre muebles y paredes. Aunque nos pasemos el día inventando actividades, trabajando, cocinando, o bien, pegados al internet o al televisor, lo hacemos desde el lugar en el que siempre hemos sido más vulnerables, ese espacio físico donde conectamos con nuestro yo más íntimo y más genuino. La pandemia nos ha obligado a volver a casa. Y esta vez no es a la conflictiva o nostálgica casa de la infancia; es a la casa que habitamos hoy, la cueva del yo del presente, de la persona en que nos hemos convertido. Esta vez no hay escapatoria posible. Nos toca enfrentarnos con la cueva que habitamos y que nos habita. Saldremos cambiados de esta experiencia, no solo por lo que ya ha pasado y continuará pasando en el mundo ni por las dolorosas lecciones de este miedo colectivo; saldremos cambiados porque, por primera vez en mucho tiempo, colectivamente nos enfrentaremos a nuestra casa interior. Ojalá ahí adentro también logremos la limpieza necesaria.

Carta a Nicanor, nacido en medio de la pandemia

Nicanor:

Hoy cumples un mes. Naciste el 23 de marzo de 2020 a las 2:47 de la tarde, en un hospital de San Juan. Tus primeros días los pasaste junto a mí y tu papá en una habitación con vista a un océano que ya no recibía visitantes en su orilla. Desde allí observábamos las calles vacías y nos refugiábamos con miedo de salir a la calle contigo por primera vez.

Te concebimos el pasado verano, en medio de la revuelta popular más dramática que se haya dado en décadas en nuestro país. Tras días de protestas ininterrumpidas, el gobernador de Puerto Rico se vio forzado a renunciar, y los puertorriqueños nos llenamos de una renovada dignidad, una sensación de evolución colectiva. Eran buenos tiempos para nuevas vidas.

Soñé que serías varón, y soñé tu nombre de poeta. Nos mudamos de Los Ángeles a Río Grande, un pueblo al noreste de la isla, para recibirte cerca de la familia y para que nacieras en Puerto Rico. Pero al día de hoy —y por buen tiempo— la familia no podrá conocerte.

En el parto no pudo estar ninguna de las personas que se suponía que estuvieran. Tampoco hubo visitantes, ni llegaron flores para celebrar tu nacimiento. Solo estuvimos tu papá, un grupo de enfermeras valientes y nuestra doctora, una mujer joven —embarazada también— que se aseguró de que llegaras a salvo en medio de uno de los momentos en que nos sentimos más inseguros en la historia de la humanidad

Es verdad que no hay forma de planificar al detalle un parto, pero si algo no nos pasó por la mente fue traerte al mundo en medio de una crisis global. Tampoco pudimos predecir la ruta de tu llegada.

Tras horas de intenso trabajo de parto, hubo que hacer una cesárea de emergencia. Se requirió anestesia general, así que no pude verte salir de mi cuerpo ni escuchar tu primera bocanada de vida. Pensarlo me provoca la peor de las nostalgias, esa que sentimos al pensar en aquello que no alcanzamos a vivir. Una nostalgia fantasma.

Naciste en medio de la pandemia de COVID-19, Nicanor; el momento en que el mundo se convierte en algo distinto a lo que conocíamos, tiempo en el que nacerá una nueva normalidad porque la que teníamos ya no le funcionaba a nadie. Esta plaga ha trastocado lo que sabíamos y el valor de la experiencia. ¿Cómo voy a enseñarte las cosas del mundo, si el mundo como lo conozco ya no existe ni existirá? Nunca imaginé que el pasado pudiera volverse, en un instante, tan inútil.

En enero empezaba el tercer trimestre del embarazo, y la isla temblaba. Una serie de terremotos nos hizo recordar lo que habíamos vivido apenas un par de años atrás, cuando nos arrasó el huracán María. ¿Sabes? En las Antillas conocemos muy bien el vocabulario del viento y del agua, pero el de la tierra cuando tiembla nos era muy ajeno. Enero fue un mes cruel, así que cuando acabó festejamos cual fin de año porque creíamos haber cubierto nuestra cuota de calamidades.

Mientras, tú pateabas mis entrañas cada día con más fuerza. Sentía tu energía intensa, masculina y fuerte ahí adentro. La barriga comenzaba a expandirse cuando llegaron las primeras noticias de un peligroso virus que había surgido en China. Marzo comenzó con la evidencia aterradora del desplazamiento del virus alrededor del mundo. En cuestión de semanas, pasó de ser epidemia a considerarse pandemia, y comenzamos a escuchar las crónicas de alguna especie de fin del mundo. A tu papá y a mí nos consolaba tocar mi barriga —enorme, contundente— y la certeza de que todo nuestro mundo estaba protegido ahí adentro.

Las calles estaban desiertas cuando salí a la última cita médica antes de tu nacimiento. Unos pocos las transitaban usando mascarillas, y el protocolo para entrar y salir de cualquier lugar hacía sentir a cualquiera sucio, sospechoso. Nacerías, precisamente, en el hospital donde se atendió el primer caso registrado de la COVID-19 en Puerto Rico. Tuve miedo. ¿A qué mundo te estaba trayendo? ¿Cómo iba a poder protegerte? ¿Estabas más seguro ahí adentro o acá afuera?

Pero sucede que fuiste tú quien nos trajo al mundo, quien nos recordó con su llegada que la vida es terca y misteriosa y responde a la muerte con más vida. Por eso, mi niño, sé que llegaste a la hora precisa para vivir y marcar el inicio de un nuevo tiempo. Por eso, Nicanor, hace un mes nacimos juntos a este valiente nuevo mundo.

Contra la presión holística

He vuelto a usar mis manos sin dolor. Casi no puedo creer que estoy escribiendo esta columna como quien toca piano con manos ágiles y experimentadas. Aún no están en perfecto estado, y el síndrome del túnel carpiano las sigue adormeciendo con demasiada frecuencia, pero una vez di a luz, las hormonas del posparto siguieron transformando mi cuerpo, y el dolor bajó de intensidad considerablemente. Además, luego de probar todos los remedios naturales imaginables, pude por fin tomar medicamentos contra el dolor.

El 3 de mayo se cumple el día número 40 de mi cuarentena correspondiente al posparto, que ha sido vivida dentro de la cuarentena mundial que nos ha impuesto la COVID-19. En un contexto como este, de doble transformación —personal y colectiva—, es imposible no encerrarse en la cueva y repensar un par de cosas.

En estos días, una amiga me contó acerca de su experiencia de parto y me dijo que su mayor frustración fue el hecho de que no lo disfrutó por toda la "presión holística" que se impuso. La frase se quedó en mi mente, repitiéndose insistentemente, hasta que entendí lo que me pasó.

Yo quería un parto natural, sin medicamentos, sin mayor asistencia y guía que la sabiduría de mi cuerpo. Me había preparado para ello. No hubo libro y artículo que no leyera ni consulta que no realizara para alcanzar ese objetivo. Me decía a mí misma que si algo distinto sucedía, todo estaría bien, pero para mis adentros estaba empeñada en de parir de aquella manera. Ahora me escucho, luego de lo vivido, y ni yo misma me lo creo. Sobre todo porque sé que, en el fondo, una de las razones por las que quería dar a luz vaginalmente era por lo que podría significar eso con respecto a mi carácter y a la identidad que me había forjado sobre mí. ¿No se suponía que yo era una mujer fuerte? Pues tenía que poder parir. ¿No se suponía que yo había trabajado en mi cuerpo, mente y espíritu para que estuviesen alineados? Pues tenía que poder parir. ¿No se suponía que mi cuerpo estuviera diseñado para este proceso y lograra, por lo tanto, evadir cualquier intervención innecesaria? Pues tenía que poder parir.

Sin embargo, el 23 de marzo nada ocurrió como anhelaba. No solo tuvimos que tomar decisiones difíciles debido a la pandemia, sino que tras largas horas de dolorosas contracciones y trabajo de parto, se requirió hacerme una cesárea de emergencia, con todo y anestesia general. No vi a mi hijo salir de mi cuerpo. No lo escuché llorar por primera vez. No le dije al oído las palabras amorosas que había ensayado y que, soñaba, serían lo primero que escucharía en la vida. Durante semanas lloré, todos los días, por lo que consideré mi primer fracaso como madre. La razón reconocía lo absurdo de aquel llanto, pero el espíritu no.

Hasta que poco a poco, gracias a conversaciones y mensajes de texto con amigas, lecturas, terapia y algunos ratos de escritura, pude entender que no hay experiencia más humana y natural que la que vivimos ese día. Esa experiencia de salir al mundo soñando que algo será como imaginamos, y repentinamente caer de bruces y perder todos los dientes en el golpe con la realidad, ha de ser de lo más universal sobre el planeta. Así que, ¿a cuenta de qué permitimos que una idea particular sobre lo que debe ser, o debe ocurrir en un momento dado, defina lo que es *natural*?

Tuve la suerte de trabajar con una doula que me recordó todos los días que el mejor camino era el que le fuera más natural a nuestra familia, el que nos diera más paz. Tuve la suerte, además, de ser amiga de mujeres que me recordaron que soy creyente en la ciencia, y que es tan valiente parir en la casa como en el hospital, porque nada cambia la realidad mayor: estás trayendo una vida al mundo. Y tuve la gran suerte de contar con una terapista que me recordó que a mi niño lo parí yo, del mismo modo en que millones de mujeres dan a luz a diario de tantas y tantas maneras.

Hoy acaricio mi nueva cicatriz con curiosidad y ternura. Hago las paces con la nostalgia de lo no vivido y cada madrugada le repito al oído a mi hijo aquellas primeras palabras que planificaba susurrarle al nacer. De nada sirve la *presión holística* que me impuse; mi fuerza no se define en el método para parir, la fuerza está hecha de otra materia. En este caso, del amor salvaje y animal que nació ese día hacia mi hijo. Y ahí sí que no hay nada artificial.

Vendrá un nuevo tiempo

Lo primero que se aprende durante un embarazo es a saber rendirse. Lo escribo, lo reescribo, lo repito hasta el cansancio, porque la terquedad se impone, y rendirse no suele ser fácil. No obstante, es el camino más certero, hay que entregarse al proceso y abandonar cualquier idea preconcebida acerca de cómo deben suceder las cosas. Puede una pasarse nueve meses leyendo artículos y libros, tomando clases, escuchando consejos y aun así no hay manera de predecir cómo sucederán las cosas el día en que tu bebé llegue al mundo. Ellos y ellas deciden cuándo y cómo llegar, y aceptar eso desde temprano es muy liberador. Mi compañero y yo no hicimos un plan de parto, pero teníamos una especie de *whishlist* acerca de cómo nos gustaría que sucediera el nacimiento de nuestro hijo Nicanor. Entre todas las opciones contempladas, jamás imaginamos traerlo al mundo en medio de una pandemia que ha agravado las crisis locales y globales. Probablemente, lo que estamos viviendo pasará a ser el evento colectivo más dramático de nuestros tiempos, superando incluso los traumas recientes que como país hemos vivido tras el paso de huracanes, crisis políticas y terremotos. No porque estos no hayan sido gravísimos, sino por el carácter internacional de la amenaza que nos tiene a todos y todas paralizados.

Nuestro hijo nació un lunes de pandemia, apenas unas semanas después de que se estableciera el toque de queda y comenzaran a cambiar los protocolos en los hospitales. Ninguna de las personas que queríamos en la sala de parto pudo estar allí; y a las 39 semanas y 5 días nos sentimos aliviados de iniciar el proceso de parto porque, de haber ocurrido una semana después, ni a mi esposo le habrían permitido entrar, como ya estaba sucediendo en ciudades donde los contagios se habían disparado. Días antes, llegué a preguntarle a mi doctora: Mi hijo, ¿está más seguro adentro o afuera?

Mi primera decisión como mamá fue asegurarme de que llegara bien a este mundo y de rápidamente llevárnoslo a casa y encerrarnos con él hasta nuevo aviso. Sus tíos no lo han conocido, tampoco sus primos; y sus abuelos lo han visto, pero no lo han sostenido en brazos. Es tan extraño vivir esta alegría, esta bendición, esta euforia que invade todo el cuerpo ante la presencia de una nueva vida y no poder compartirla con la gente que se ama y que esperaba a Nicanor con genuina ilusión. No obstante, todo el mundo entiende las razones y nos apoya, y nos felicita por mantenerlo resguardado y seguro. Nadie habla del miedo que esta situación nos provoca, pero todos lo sentimos.

Y aun así no puedo más que tener esperanza ante la certeza de que nada será como antes, porque, después de todo, las cosas como eran no le servían bien a la mayoría de la gente. Ojalá cuando podamos volvernos a abrazar lo hagamos en un mundo más justo, en el que florezcan una nueva conciencia y una nueva escala de valores universales, en el que hacer y tener sea secundario al divino proceso de ser. Mi niño es hijo de la transición a un tiempo nuevo, y nosotros, sus padres, lo acompañaremos y nos dejaremos guiar por él para entender la que seguramente será una nueva forma de habitar esta Tierra. Esa es mi esperanza en este mi primer Día de las Madres.

Lo animal

Nunca me han gustado los senos grandes. Cuando de niña comenzaron a crecerme, y me gradué de un *brassiere* AA, a una copa A, lloré sin consuelo. La transformación física me provocó un dilema existencial sobrecogedor. No sé si es que no quería crecer o que empecé a experimentar la nostalgia muy temprano; lo que sí es seguro es que la protuberancia en el pecho le causaba angustia a la niña que fui. Puede que por haber comprendido, por primera vez, que la mayoría de las cosas en la vida no están bajo nuestro control. O quizás por percatarme de algo mucho más simple: el cuerpo sabe más que una casi siempre, y crece y hace y deshace más allá de nostalgias y dilemas existenciales.

Con los años, esa cualidad del cuerpo de hablar y comunicar más allá de lo racional, comenzó a intrigarme. Como periodista, siempre me ha encantado entrevistar a deportistas porque suele llegar un punto en la conversación en el que queda claro que ellos y ellas entienden algo del vocabulario del cuerpo que yo desconozco. Entonces tratamos, fracasando siempre, de apalabrarlo desde ambos lados. Por falta de mejores palabras, suelo pensar esa sabiduría como el *conocimiento esencial*, o quizás, como esa fuerza hermosa y poderosa que nos queda de *lo animal*. Es por eso que tenía tantas ganas de tener un parto vaginal. Yo quería sentir la animalidad absoluta del proceso, la carne expandida y agrietada, la sangre vertiéndose entre las piernas, un nuevo cuerpo abriéndose paso, la divina viscosidad de todo aquello.

No me tocó experimentarlo así, pero en su lugar me ha tocado, una vez más, enfrentarme al dilema de antaño en torno a la expansión de los senos. Estoy lactando a mi hijo en un cien por ciento. No lo digo como un acto de virtuosismo materno. Si bien reconozco los beneficios de la leche materna, estoy convencida de que la lactancia es una decisión de cada madre en diálogo con su cuerpo. No es para todo el mundo, y no debe haber presión social ninguna para obligar a una mujer a lactar. Dicho esto, ya van poco más de dos meses de lactancia exclusiva, y en el proceso he visto mis senos expandirse, desinflarse, enrojecerse y doler con una mastitis violenta; los he visto llenar la nevera de potes de leche y secarse al punto de producir apenas lo necesario. Se me ha pelado la piel de los pezones, y he logrado enlazar el bebo al pecho, prácticamente sin dolor. Hay días en los que, mientras me extraigo la leche con la máquina, soy Madonna, sexy con sus sostenes puntiagudos; y hay otros en los que siento los senos doblegados, extenuados de tanta producción, y soy más bien un globo de helio abandonado al final de una fiesta.

Soy un mamífero que ve a su hijo crecer y expandirse mientras sus pechos van decayendo para siempre, con cada sesión de lactancia. Me da un hambre irracional, ajena, salvaje. Soy un animal que alimenta sin que medie lenguaje, ni ideas, ni nostalgias, ni miedos, ni espiritualidades, ni raciocinios. A lo mejor era eso lo que entendían los deportistas: que el cuerpo y su animalidad no necesitan mapas ni guías. A lo mejor, para mí ya era tiempo de hablar el sabio lenguaje de la piel, los huesos y la sangre.

Quisiera terminar esta columna con esta declaración, sintiéndome victoriosa por haber logrado acceder a un ápice de la sabiduría que viene con la animalidad. Pero sucede que todavía detesto los senos grandes y, aunque disfruto alimentar a mi hijo, no veo la hora de que vuelvan a su pequeñez habitual y de que el animal que soy se torne más silvestre que salvaje y pueda regresar al universo seguro de las nostalgias, allí donde hay palabras para todo, incluso para nombrar lo animal.

La calle azul

En el cuarto de mi hijo hay una estrella de juguete que cuelga de la pared. Aunque se supone que tenga la capacidad inagotable de inventarle un cuento nuevo cada noche, no tengo inspiración. Decido balbucear algo en torno a la estrella. Le cuento que había una vez una estrella del cielo que quería ser una estrella de mar, y que todas las noches miraba envidiosa a las estrellas marinas a través de las aguas. Hago una digresión y le explico que las estrellas celestes tienen una visión impresionante, por lo que pueden ver a millones de kilómetros de distancia, atravesar galaxias y observar claramente hasta lo más profundo del mar. Pero, por otro lado, las estrellas marinas no ven con tanta claridad; de hecho, apenas se observan unas a las otras, y su vista se va difuminando en la oscuridad de los tonos del agua del océano. A mitad de relato me siento tonta y comienzo a preguntarme si este cuento me lo estoy inventado o si lo habré leído en alguna parte. Después de todo, ¿cuántas veces no se ha reescrito el cuento de aquellos que envidian la vida de los viven al otro lado de la verja?

La historia la termino de manera bastante predecible: la estrella celeste logra materializar su deseo de convertirse en una estrella de mar, y en el proceso pierde su extraordinaria visión. Entonces, queda ahí, sumergida en el océano por toda la eternidad, tratando de mirar al cielo mientras su vista apenas alcanza la punta de una estrella marina cercana. Cumplir su sueño le costó la posibilidad misma de soñar más allá de sus límites. Finalizo el relato, y quedo convencida de lo evidente: no debo inventar cuentos para niños.

No sé por qué pienso que las estrellas de mar la pasan tan mal. Quizás esto viene de cuando vivía en el Viejo San Juan y tenía un novio que me enseñó a hacer *snorkeling* en la playa del Escambrón. Íbamos allí los domingos en la mañana y nos desplazábamos bajo el agua por el arrecife de coral y por el mismísimo centro de aquella playa, en cuyo fondo había escuelas de peces de todos los colores. Me parecían tristes las estrellas de mar, tan llenas de manos y piernas y tan estáticas en medio de aquella inmensidad. La soledad también tiene que ver con el cuerpo que se habita…

Me hice mujer a principios del siglo XXI. En el 2002 me gradué de la escuela superior, y con dieciocho años recién cumplidos, me mudé del pueblo rural en el que vivía, entre poco más de veinticinco mil habitantes, a la capital del país. Luego de dar unas cuantas vueltas, en el 2009 terminé viviendo en un apartamentito en el Viejo San Juan, junto a dos gatos Mambrú y Melchor. En aquellos años empezaron a llamar a mi generación *millenials* y le adjudicaron todo tipo de adjetivos desagradables. A mí me gustaba como sonaba eso de milenial; sonaba a mucho, a cantidad, a grande, a moderno, a libre. Pertenezco a la primera camada. Ahora más que *millenial,* soy una *doñillenial* o como dicen mis amigas, una *aging millenial.* Muy poco duró el glamour. Tardaría mucho en darme cuenta de que lo único grande de aquella categoría era la decepción, y la confirmación diaria de que todas las promesas y pactos sociales prometidos se harían sal y agua: *Si estudias, tendrás un mejor futuro.* Mentira. *Si te esfuerzas y robusteces tu hoja de vida, tendrás mejores oportunidades.* Mentira. La primera década del siglo sería una puesta en escena de los valores del capitalismo más salvaje, y terminaría con el rescate del Gobierno estadounidense a los bancos, tras la explosión de la burbuja inmobiliaria y la crisis económica que se desató. ¿El mensaje? Si la estafa es grande, la salvación también lo será.

Era también la década cuando se consolidó aquello que venía cuajándose desde los 80 y los 90: una nueva mirada a los saberes. En la universidad te invitaban a tomar únicamente cursos de tu especialidad, a que no perdieras tiempo paseándote por otras facultades. Allí se iba a entrenar para un trabajo, no a hacerse gente.

Yo escogí el segundo camino y, naturalmente, a mi bolsillo le fue fatal por ello. Al día de hoy me río cuando me hablan acerca de lo mucho que a mi generación le gusta trabajar por cuenta propia, como si fuera una decisión individual el vivir sin plan médico ni derechos laborales. Pero esa es una historia muy triste y, en este punto de mi escrito, ya ha sido suficiente con el ahogado destino de la estrella colgante.

De mi generación decían también que éramos hijos de la revolución digital, pero a mí me parecía muy poco revolucionaria la vida cibernética que había vivido hasta entonces. Ya desde segundo grado comencé a escribir en teclados de computadoras, y desde décimo grado usaba el ICQ—una plataforma de mensajería que vino antes que el súper popular Messenger—, con lo que me pasé toda la escuela superior haciendo amistades en Argentina, España, San Juan, y en casi cualquier parte. Con respecto a la web, mi pueblo no era tan rural, y así fue como crecí sin una noción fija de las fronteras. A lo mejor eso era ser milenial: acceder y pertenecer a cualquier parte y acomodarse a cualquier época.

El siglo era nuevo y fresco, podíamos escoger una década del siglo pasado y adaptar nuestro estilo a ese momento. También viajábamos en el tiempo. Si queríamos ir al futuro, pensábamos en Tokio; si nos interesaba el pasado, bastaba con ir a cualquier país pobre o calificado con el eufemístico *en vías de desarrollo*. Claro está, todavía no nos habíamos enterado de que Puerto Rico también lo era. ¿Cómo íbamos a saberlo? Apenas unos años atrás, en los 90, andábamos soñando con celebrar las Olimpiadas en la Isla, y recibíamos a más de doscientas embarcaciones en la Gran Regata Colón 92. Soñábamos en grande y el gobernador de entonces bailaba *La macarena*.

Quería participar de todo lo prescrito para mi generación, y desde el 2002 compraba mi ropa en tiendas de segunda mano;

primero, porque era más barata y segundo, porque me gustaban los estilos, tan parecidos a la ropa que antaño me cosía mi abuela. Me creía tan original y no veía cuán predecible era mi conducta, tan fiel al diseño generacional. Por tonta no se me ocurrió conservar aquella ropa para revenderla luego, y así perdí mi oportunidad de ser una empresaria más de la hoy millonaria industria del *vintage*...

El niño ha dormido apenas dos horas, y yo voy arrastrando mi humanidad hasta la mecedora para pegarlo a la teta e intentar dormirlo otra vez. Me ha tocado un bebé grande, de manos grandes y pies grandes y cuerpo grande. Lo miro y no entiendo cómo es que una persona sale de otra persona, pero me consuelo repitiéndome que siempre es así, que siempre sale una persona de otra persona, sea por cuestión de la biología o porque así de mucho nos influenciamos unos a otros. Lo mezo y lo alimento y tarareo melodías inventadas mientras la estrella —ahora de mar— sigue por ahí. Hoy no ha pasado mucho; llevo el día oliendo a queso, bañada en babas, y desplazándome entre vómitos y pañales. Me he puesto crema en los pezones, he dormido a ratos mientras lo hace el niño, y me he ido de viaje al pequeño pasado que poseo, la única cosa concreta que tengo ahora mismo, además de este amor feral y este bostezo que va pareciendo imposible de aplacar.

Se supone que para escribir crónicas una pueda montarse en un carro, un tren, un avión, un caballo o, como mínimo, andar y llegar a alguna parte. Mover el cuerpo, y con ese movimiento mover el tiempo. La crónica no se escribe, la crónica se vive, o cuando menos se camina, y si queda algo, se exprime en algunas notas que luego, con un poco de oficio y artificio se hilvanan en un relato para que otros puedan hacer el mismo viaje. Pero en medio de una doble cuarentena —la del posparto y la de la pandemia—, ¿cómo se las arregla una para fijar el tiempo en unas cuantas líneas? Solo puedo moverme hacia al frente y hacia atrás, en el eterno sonsonete de esta mecedora. Aquí no está pasando nada.

Antes me pasaban cosas. Cuando vivía en el Viejo San Juan asistía a cuanto festival de arte se organizaba en la ciudad. De repente, se puso muy de moda el muralismo y los eventos internacionales de grafiti. Me encantaba ver a los artistas trabajar, al tiempo que sentía una tristeza profunda cuando estos daban nueva luz y vida, por fuera, a edificios abandonados que, no obstante, permanecerían destruidos por dentro. Tanta efervescencia artística terminaba de alguna manera convirtiéndose en el disimulo del fracasado proyecto de ciudad. Desde que llegué al Viejo San Juan, todo el mundo me hablaba de lo mismo: de lo maravillosas que eran en su momento las vitrinas de González Padín —y pensar que yo era tan feliz de que ahora en su lugar hubiese un Marshalls—, de lo mucho que se compraba y vendía en sus calles, de lo viva que era la ciudad. Yo nunca la vi muerta, aunque sí, una que otra vez, desolada.

De todos modos, aunque ya no fuese la ciudad que otros añoraban, a mí me gustaba. Subía y bajaba la cuesta de la Calle del Cristo celebrando el calentón en los muslos y las batatas. Ya no eran los tiempos en los que el Nuyorican Café era el rey y una podía encontrarse allí a Rosario, cantando después de su concierto, a eso de las tres de la mañana, pero se pasaba bien. Los domingos desayunaba mallorcas calientes, rebosantes de mantequilla, en La Bombonera, junto al grupo de aún creyentes que salían de la misa de la Catedral y de la iglesia San Francisco, y en las tardes me convertí en una de las primeras clientas de un nuevo bar que abría entonces en el antiguo local de Hijos de Borinquen, en la calle San Sebastián. Le llamaron La Factoría, y allí bebía tragos a base de lavanda —con hoja incluida—, jengibre y algún licor. Nunca llegué a ser tan *hipster* como el trago ameritaba, ni llegué a ir al bar con tanta frecuencia. En poco tiempo se convirtió en una de las barras más populares del país y recibió reconocimientos mundiales por sus cócteles y su ambiente. Pero me mudé, y ahora dan boletos de más de doscientos dólares por estacionarse en ciertas zonas de San Juan, designadas para residentes, así que frecuento la ciudad mucho menos de lo que habría podido imaginar.

Me mudé porque después de cinco años me cansé de no quedarle de camino a nadie y del tapón de los fines de semana para llegar a casa. Pasa eso en las ciudades coloniales; están de alguna manera detenidas en el tiempo, pero no en el sentido metafórico, sino literal. No son una estación de paso, son un destino final, y quien no quiera estar aislado tras una muralla, mejor que ni se asome. Bien es sabido que la arquitectura es también una forma de viajar, pero aquí, entre cuatro paredes amarillas decoradas con estrellas, elefantes y colorines, no se llega a ninguna parte. ¿O sí?

Creo que fue por aquel tiempo en que me mudé del Viejo San Juan cuando empecé a ir a Costco solo para disfrutar del lujo de comprar comida en grandes cantidades y congelarla, casi como un desquite por lo que no podía hacer cuando vivía en la antigua ciudad. Cuando entregué las llaves de aquel apartamento en La Puntilla, desde el cual se escuchaban todos los cruceros que entraban y salían de la bahía, y donde escribí mi primera novela, me dio una pena tremenda el despedirme de los adoquines. No porque me gustaran particularmente, sino por una frase que me regaló un hombre en México cuando le comenté que vivía en el Viejo San Juan. Me había mirado emocionado, y con signos de exclamación en todo el rostro dijo: "¡Ah! Tú vives en la ciudad de los pisos azules". Cuando regresé de aquel viaje, empecé a hacer caminatas todas las mañanas y a constatar lo que aquel hombre, desde otra mirada, había observado. Yo vivía en una ciudad de pisos azules que se ven aún más azules en las madrugadas, cuando les queda el rastro del rocío. Caminar o nadar, allí todo era la misma cosa.

Pasó mucho tiempo antes de que regresara a San Juan. Le agarré el ritmo a la vida de condominio, carro, trabajo estable, faldas lápiz y trotadoras de caminos negros que no van a ninguna parte. Por una grieta de la fortuna, experimenté por un par de años esa vida de cheques bisemanales prometida a mi generación y cumplida apenas para unos pocos.

Cuando regresé a la ciudad vieja era de día, así que no importaba que no hubiese electricidad. Había transcurrido ya casi un mes del paso del huracán María por Puerto Rico en septiembre de 2017, y el Viejo San Juan —balón político y epicentro de la oposición al gobierno de turno— era castigado con el desdén del Estado. Parecía una ciudad abandonada, y más aún en la noche, cuando aquellos adoquines emulaban el color del mar profundo, oscuro, oscurísimo, pavoroso. Los adoquines se veían como fondo de mar en noche de luna nueva. Aterradores y fascinantes.

Yo me había enamorado, y me había ido a vivir a Río Grande, al noreste, cerca de El Yunque. Ahora hacía caminatas por un campo de golf donde señores blancos que se queman rojo —y alguno que otro mulato con mucho bloqueador solar— conducen unos carros diminutos que a su paso aplastan sapos de río y jueyes, si se hace tarde y no los ven, o si poseen un grado de sadismo que les provoca placer al escuchar el chasquido aguado y viscoso de los batracios cuando son aplanados por la goma o la muerte crocante de los crustáceos.

En nuestra casa pasamos ocho meses sin luz, y unos cuantos menos sin agua. Nos fue mucho mejor que a la mayoría. Nos picaban los mosquitos a diario, sí; hacíamos filas de cuatro y seis horas para comprar hielo y hasta de once horas para comprar gasolina (y así poder viajar a ver a la familia), pero teníamos comida y dinero para comprar lo que se vendía al otro lado de otras tantas filas. La imagen más clara que tengo de aquellos días después del huracán es la de una montaña en mi pueblo. Todas las casas habían quedado destruidas, y lo único que quedó en pie, empotrado al suelo de la montaña, fueron los inodoros, por estar estos bien arraigados a través de las tuberías. Era, literalmente, una montaña de inodoros. Cuando todo pasa queda eso, la podredumbre, el hedor de la mala planificación y la crueldad de un Gobierno que siempre llegaría tarde. Mierda, nada más.

Nos mudamos a Los Ángeles; no había trabajo, no había nada. Un par de años después regresamos a Puerto Rico, en el verano del 19, para hacer un proyecto, y nos encontramos con una revuelta popular que obligó al gobernador a renunciar. Ya nadie bailaba *La macarena*, y los hijos de la crisis, no ya los que nos hicimos adultos a principios del milenio, sino los que nacieron en aquellos años en los que aprendíamos a ser gente, lideraron el movimiento. Y entre tanta marcha y protesta concebimos a mi hijo. Volvimos para que naciera aquí.

El tercer trimestre del embarazo me agarró temblando en la cama. Una serie de terremotos con epicentro en el sur de la isla nos mantuvo en vilo todo el mes de enero. Todavía tiembla, pero ya no hablamos de eso. Ahora tenemos un miedo distinto.

Mi hijo nació en medio de la pandemia y va a crecer en un mundo muy distinto al que conocí, con otros códigos sociales, con un músculo nuevo para las crisis. En este encierro, apenas vamos de la habitación a la sala. Yo me aventuro hasta la cocina, y como tenemos la suerte y el privilegio de tener patio, mi hijo ha conocido el verdor de las hojas y el sonido de los pájaros. Pero nadie lo conoce a él. En una pandemia no hay permiso para la querencia.

Ya amaneció y, otra vez, no logré dejarlo dormido en la cama. Durmió en mis brazos, y ahora yo no siento el cuello, ni el brazo, ni la espalda. Bajo la luz de la madrugada, la estrella colgante no se ve tan triste, casi parece feliz. La observo como si fuera un mal chiste o un recordatorio del tiempo aquel en que viví en San Juan y subía y bajaba sin dificultad por aquel mar de adoquines. Toda flotante, toda luminosa, toda juventud. Era yo también una estrella perdida en el océano sólido y resbaloso de aquellos adoquines. Pasará mucho tiempo antes de que pueda volver allí, como pasará mucho tiempo antes de que este texto sea una crónica que conduzca a algún lugar.

Habrá que conformarse con el insoportable viaje al interior; aceptar —con rabia o sin ella— que aunque en la mente tenemos millones de calles para explorar, en ese viaje atravesaremos apenas las más espinosas. En este cuarto de paredes amarillas no hay nada más que hacer que recorrer la calle azul adoquinada de los adentros y aceptar que el destino es ser una isla dentro de una isla dentro de una isla dentro de una isla dentro de una isla… dentro…

El árbol

1. Las edades y el reloj

Cuando cumplí diez años me dio una especie de trauma existencial. Por alguna razón, el cumplir una edad que se escribía con dos dígitos me provocó una serie de ansiedades que mi mente de niña no era capaz procesar. Solo sé que me inquietó mucho, me preocupaba cómo iba a ser mi vida a partir de esas edades de dobles dígitos, cómo viviría esa suerte de preámbulo de la adolescencia y la adultez. Sabía que al cruzar el umbral de la decena nunca más sería una niña del modo en que lo había sido hasta ese momento. También sabía que con los diez años vendría el gran estirón, crecería mi cuerpo, y en poco tiempo llegaría la menstruación, y mi vida no sería la misma. Toda esa conciencia de transformación me provocó una angustia enorme, y mientras mis compañeros de escuela celebraban en cada cumpleaños el ir haciéndose grandes, yo lo único que quería era quedarme pequeña, minúscula, niña. Jugaba con mis muñecas a escondidas: que nadie me viera, que nadie supiera que aún fantaseaba con muñecas que no se parecían a mí, que nada me impidiese el cumplir con la expectativa de conducta para una niña grande, que las ansias de mantenerme niña se mantuviesen ocultas.

A los once años, un sábado por la mañana desperté a mi hermana mayor. Me había llegado la regla. Ella me dio una toalla sanitaria enorme y la coloqué entre mis piernas. Caminé todo el día como si tuviese ahí un almohadón agigantado que me impedía moverme con normalidad. Mi mamá y mis tías le notificaron a media familia que me había *cantado el gallo* o que había recibido *visita de doña Rosa* y no sé cuántas frases más, mientras yo, muerta de la vergüenza y absolutamente mortificada, sonreía como si estuviese de acuerdo en que aquello que me estaba pasando fuese motivo de celebración. La verdad, lo sentí como un castigo. El divulgarlo, como una traición.

Al poco tiempo tuve que dejar de usar los *brassieres* doble A y heredar los copa A de mi hermana. La primera vez que me puse uno de esos, lloré. Ni mi mamá ni mi hermana entendían el porqué de mi llanto. Por mi parte, no entendía la lógica detrás de todo ese crecimiento de senos, de toda esa expansión que no había sido convocada y mucho menos bienvenida. En ese momento solo tenía once años. ¿No era muy pronto para estar pensando en bebés, en sangrados, en sexo, en dolores de senos, en cosas que pasan entre las piernas?

Evidentemente no. Y la sociedad se ocuparía de insistir en ello. Recuerdo la primera vez que un hombre me gritó alguna cosa en la calle. Fue en el verano de 1996, justo después de graduarme de sexto grado. Caminaba con una amiga de la escuela por una acera, íbamos a una farmacia a comprar alguna cosa, cuando dos hombres jóvenes —adolescentes o veinteañeros— nos gritaron: "¡Dale un par de añitos!".

Lo primero que nos preguntamos la una a la otra (porque así habíamos sido condicionadas) fue: ¿estaremos vestidas provocativamente? A partir de ahí, esa sexualización del cuerpo, antes de estar lista, se tornó consuetudinaria. A todo una se acostumbra, y pocas cosas hay tan fuertes como la costumbre, como los hábitos, sobre todo si estos son malos. A partir de ese verano no habría escapatoria, ya menstruaba, ya me habían explicado todo acerca de lo que debía o no entrar por cada orificio de mi cuerpo, y me habían instalado el terror a quedar embarazada. En cuanto a la sangre, pues había que estar agradecida de recibirla mes a mes, y aterrorizada si faltaba. Yo todavía quería jugar con muñecas, y el mundo insistía en que había un reloj para cada edad. El mío ya había alcanzado la hora pico, pero aquel cuerpo no era mío.

Esta no es una historia extraordinaria, ni remotamente especial. Es tan ordinaria que espanta, es tan propia como ajena, es... en fin, la misma historia que hemos vivido todas con alguna que otra variación en la forma y en los niveles de intensidad. A los veintitrés años viví en España, mientras estudiaba una maestría. Mis maestras en la universidad y en la vida habían sido mujeres en sus cuarentas o terminando sus treintas. Eran mujeres libres, independientes, y todas me hablaban acerca de la revolución sexual, de la importancia de una apropiarse de su cuerpo y disfrutarlo sin complejos ni limitaciones impuestas por condicionamientos sociales. Yo me lo tomé a pecho y probé y exploré y experimenté. El problema es que nunca entendí la lección —o al menos, no con claridad— en torno a de qué se trataba eso de tener un cuerpo propio. Pero a eso llegaremos después.

En medio de esa exploración sucedió que me encontré en la ciudad de Barcelona, tarde en la madrugada, en un *after hours* —un lugar cuyos códigos sociales hoy día sabría leer mejor— que se llamaba el Harlem, pero en aquel 2008 no tenía idea de nada. Entré con una *amiga* que acaba de conocer. Un hombre me invitó a un trago y me lo bebí. Lo siguiente fue estar en un callejón, sin movilidad alguna en las piernas, ni en todo el cuerpo, queriendo gritar sin poder, mientras aquel infeliz hacía lo que hacen los infelices. Tardé un rato larguísimo en recuperar el movimiento, y tan pronto pude, corrí al metro Jaume I, llegué a la casa de la amiga con la que me estaba hospedando, me di el baño más largo de la historia y me prometí nunca más hablar del tema.

A partir de ahí, a mis veintitrés años, cancelé el cuerpo, o más bien, la importancia que podría adjudicarle al encuentro sexual. El sexo no sería algo especial; sería un intercambio de carnes y fluidos, nada más. Si la intimidad no era algo trascendental, aquella experiencia en el callejón tampoco tendría ninguna relevancia. Como al usar un antibiótico, esta nueva actitud sería equivalente a matar algo para sanar. Y así fue... hasta que un par de meses después, me enfermé.

Comenzó como un dolor en el costado izquierdo, que me molestaba al respirar y al caminar. Pero con el pasar de los días se tornó en un dolor agudo que solo lograba aliviar golpeándome la espalda, bajo la teoría de que un dolor más fuerte y momentáneo te hace olvidar otro dolor constante. Caí en el hospital al poco tiempo. Tenía una pulmonía que por poco me mata. Recuerdo la ambulancia, abrir los ojos a un grupo de estudiantes de medicina que analizaban mi caso, el montón de enfermeras, doctores y doctoras arremolinarse a mi alrededor cuando la presión sanguínea me bajó a 30/60; recuerdo el golpe eléctrico en el pecho que me despertó, y sobre todo recuerdo el letrero con mi información de récord. Debido a la gravedad de la infección, tenían que tratarme durante diez días como paciente HIV positivo, pues era muy inusual que una persona tan joven desarrollase una pulmonía tan severa. Así que estuve muriendo de miedo por diez días. Eran otros tiempos, en los que ser diagnosticada con HIV positivo era aún más serio que el diagnóstico de cáncer, o al menos acarreaba una carga emocional mayor. El resultado de la prueba demoraba diez días en estar listo, así que había que aprender a esperar. Pasaba las horas entre dormida y mal despierta, o recibiendo las amorosas visitas de mi amiga y compañera de cuarto, y de unos cuantos boricuas que vivían en Madrid y que no me dejaron sola. Mi hermana, estudiante de medicina entonces, llamaba al hospital a diario desde Puerto Rico y volvía locos a los médicos con sus preguntas. Escuchar su voz, para mí, era medicina.

En aquellos días España jugaba la Eurocopa, que terminaría ganando, así que para el personal del hospital las horas pasaban para entre la expectativa por los partidos y las visitas a las habitaciones.

Para mí, el tiempo transcurría entre escuchar los ruidos de la paciente a mi derecha, Paulina —quien por alguna razón necesitaba gritar que tenía que ir al váter a cada hora del día—, y los relatos de Ana, la paciente a mi lado izquierdo —una gitana que vendía flores y que insistía en que yo era gitana también, por más que yo tratara de convencerla de lo contrario—. Tal fue la porfía de Ana que que hasta llegó a hablarle de mí a un grupo de gitanos que estaba visitando a otro paciente en el ala de neumonía del Hospital Gregorio Marañón, y allá fueron a dar donde mí para presentarme a algún joven gitano con el cual pudiera casarme… y a venderme un traje de baño blanco. Juro que no exagero. En una ocasión, una de esas gitanas incluso condujo mi silla de ruedas hasta el cuarto de examen de función pulmonar. Quién sabe dónde estaría yo ahora si hubiese aceptado aquella extraña fortuna y me hubiese hecho pasar por gitana a cuenta de mi piel verde y mi cara medio morisca.

Casi un mes estuve allí, y al final no se trató de un diagnóstico de HIV, sino de un secuestro pulmonar, una condición que es algo así como tener un tercer pulmón pequeño —con sus propias venas y arterias— que te hace particularmente propensa a las infecciones pulmonares.

Salí de allí flaca y deshecha, deprimida —como era de esperar—, y tardé mucho tiempo en entender que el punto de que el cuerpo sea de una misma es, precisamente, apropiarse de él, sobre todo cuando es necesario decir que no. Negarse al placer vacío es también parte de la revolución sexual. Quizás, al mismo nivel que la decisión libre de acceder al placer vacío, lleno o como apetezca. No hay revolución sin voluntad propia, y aprender eso me costó —literalmente— todo el aire de los pulmones. Aprender a ser dueña de mi cuerpo fue aprender a volver a respirar.

2. Un cuero propio

Me curé de aquello como suelo curarme de casi todo en estos tiempos: con disciplina. No había dinero para terapia, así que me puse a dieta y comencé una rutina de ejercicios que comenzaba a las cinco de la mañana. Iba del gimnasio al trabajo y del trabajo a la casa. Cero alcohol, cero todo. Comía lo mismo todos los días, medía porciones, pesaba la comida, medía onzas. Me acostaba a dormir temprano. Fueron meses de vida monacal. Algo tiene la repetición, el hábito, la acción consistente llevada a cabo sin pensarse demasiado, que casi siempre lo sana todo.

Pasó el tiempo, y con él algunos amores. El animal salvaje que tenía por dentro se serenó. Yo quería ser una mujer que viaja, que vive y siente, y nada más. Quería viajar y escribir, y a eso me dediqué. Disfrutaba del anonimato en los aviones, de las horas muertas a la espera de abordaje en los aeropuertos, de la posibilidad de volver a inventarme cada vez que llegaba a una nueva ciudad.

Estaba decidida a ser tía para siempre. Me imaginaba llegando de cada viaje con regalos para mis sobrinos y familia (algo así como el Tristán de aquella película con la que me obsesioné de adolescente, *Legends of the Fall*, y de la cual solía llamar mi atención aquel personaje interpretado por Brad Pitt, con el que me identificaba más que con cualquier personaje femenino). Me encantan las tías, sobre todo las tías que se mantienen solteras toda la vida y llevan su soledad, no como un castigo, sino como un estado de gozo permanente. La sociedad intenta estigmatizarlas, llamarles solteronas, y ellas felices durmiendo hasta tarde los domingos, botando de la casa a algún amante en la madrugada y viviendo una plenitud que pocos conocen. Recuerdo la tía que tuve con esas características. Por ella me llamo Ana. Se llamaba Ana Luisa, y era la hermana menor de mi abuela y uno de los personajes más fascinantes de mi niñez. De ella heredé el gusto por los aretes grandes y el placer que derivo del hacer sonar musicalmente un montón de pulseras en la mano. En su casa yo comía parchas con azúcar, y embelesada la observaba vivir siempre a su aire, a su ritmo, a su tiempo. Ser tía significaba para mí ser dueña del tiempo, y eso sí que era la gran cosa.

Sucedía para entonces que también tenía muy presentes las palabras de la mamá de una de mis mejores amigas: *hay que catar; no se le puede parir un hijo a cualquiera.* De manera que, como no había nadie que me provocara a ello, pues ni hablar. Durante años estuve segura de que no quería tener hijos. Entonces lo conocí a él.

Decir que se me revolucionó el útero es decir poco. En su mirada había raíces fuertes y ramas libres. Había fundamento, fuerza, verdad. Había familia. Todo eso estaba allí, pero aun así logré convencerme de lo contrario. Me repetía mil veces que no quería ser mamá, o al menos que me daba igual; que si lo era, bien y si no, también. Y entonces vino el reloj.

A los treinta y tres años me nació en la panza una urgencia desconocida. No eran mariposas en ningún estómago, era un nudo de tripas que me afligía el pensamiento. La noción tan ajena hasta entonces del reloj biológico se materializó como jamás imaginé. Cada menstruación se sentía como un fracaso, y cada sensación de fracaso, como un fracaso adicional, porque en teoría se suponía que esto no me importara. Por un lado, no complacía al supuesto reloj biológico; por otro lado, y a la misma vez, decepcionaba a la tía feliz en la que me había convertido. No había manera de ganar.

A mi alrededor, además, había muchas mujeres luchando para poder quedar embarazadas, y yo presentía que mi caso no sería distinto. ¿Y si se me pasa el tiempo? ¿Y si mi cuerpo no responde? ¿Y si no funciona? Soñaba con la niña que tendría; Luna María era su nombre. La imaginaba y la añoraba de un modo animal. Quisiera decir que como feminista esas preguntas y sueños no me atormentaban, pero soy —como la mayoría— una feminista en construcción, y confieso que todas esas ideas me angustiaron durante mucho tiempo. Entonces la vida dio sus vueltas y me encontré regresando a Puerto Rico —para ese tiempo me había casado y junto a mi esposo me había ido a vivir a Los Ángeles—. Era el verano de 2019, y estaba feliz. El reloj biológico se había calmado y habíamos adoptado la actitud de dejar que sucediera, si iba a suceder, eso de tener hijos. Estaba en un buen momento: había terminado de escribir un libro, tenía la mejor condición física en mi vida, y ya no soñaba con parir niñas ni me amargaba mi propia sangre. Y claro, en el momento de mayor plenitud, sin verdaderamente buscarlo, sucedió.

Tras un mes de protestas y marchas, y de la intensidad política que definió el verano del 19 en la Isla (lo cual obligó a renunciar al entonces gobernador Ricardo Rosselló), desperté a una prueba de embarazo positiva. Los sueños habían vuelto, pero ahora soñaba que tenía un varón y que se llamaba Nicanor.

Cuando vi el positivo lloré de alegría, y a la misma vez me invadió una especie de asombro, de duda, de temor. ¿Realmente deseaba esto? ¿Por qué después de anhelarlo tanto no lograba estar extasiada de alegría? ¿Por qué, ahora que por fin estaba contenta y tranquila con la posibilidad de que no sucediera, con la vida que llevaba, con la libertad compartida con mi pareja, justo ahora tenía que pasar? Pude entender luego que fue porque los niños deciden venir cuando ellos quieren y como ellos quieren, no como uno lo desee. La vida es suya, y como suya la viven.

El embarazo fue una pesadilla. Me dio de todo. El parto fue atroz. Lo único que recuerdo es sentir un dolor salvaje durante horas, pujar sin éxito y gritar el nombre de Modesto por los pasillos hacia el quirófano, porque al tratarse de una cesárea de emergencia no lo dejaron ir conmigo. Cuando lo perdí de vista me dediqué a llamarlo a gritos, hasta que al fin me durmieron.

Ahora bien, el posparto, ese periodo del que todo el mundo me había advertido que sería el más complicado y duro, fue para mí un espacio de sanación y serenidad como no lo había experimentado nunca en mi vida. A veces me pasaba el día oliendo a queso y administrando pezones y onzas de leche, robándole una hora de sueño a la tarde o comiendo con un hambre más voraz que cualquier hambre que haya podido sentir en el embarazo. Mi mamá se mudó con nosotros durante la cuarentena, y entre ella y mi esposo crearon un balance que me permitió lactar sin mayores problemas y recuperarme de la cesárea a paso lento, pero firme.

Nicanor nació fuerte y grande. Pesó ocho libras con siete onzas, y desde su nacimiento lo único que hace es crecer como si tuviera urgencia de adquirir cuerpo para llegar a algún lugar a vivir alguna cosa. Intento ir conociéndolo, me imagino su personalidad, y creo adivinar en su mirada algunos gestos familiares. Yo que tenía miedo a crecer, y me ha nacido un bebé enorme. A los dos meses ya pesa quince contundentes libras. Nunca le sirvieron ni los zapatitos ni la ropa de recién nacido. Sus manos y pies son enormes, como enorme es su apetito e inmensa es su mirada. Físicamente se parece mucho a mí; o al menos mucho más de lo que imaginé. Es una mezcla de papá y mamá, pero cuando hablo con él reconozco que son mis ojos los que me miran. Son tan suyos ya. Eso debe ser la maternidad, entregar incluso la mirada. La verdad, me alivia un poco que se parezca a mí por fuera, porque sueño con que por dentro sea como Modesto, pura raíz noble y serena.

Mi niño Nicanor ya ha comenzado a reírse, y su risa y su mirada me desarman. Balbucea, mira, agarra, y mi cuerpo entero responde a él con la misma urgencia que mi espíritu. No precisa de las palabras, de idioma alguno, para comunicarse con nosotros. Ese pequeño sabio me enseña la ternura con el simple movimiento de sus manos y pies. Me educa en torno al abrazo cuando pasamos horas en la mecedora; me explica la sabiduría del cuerpo cuando grita de hambre, y el consuelo de la piel cuando se calma al menor contacto conmigo. Tengo un hijo. Soy mamá. Soy un árbol que entrelaza sus raíces con las de un hombre al que le ha nacido un fruto dulce, de semilla libre, que en un pestañear volverá a volar.

Panza

La receta era sencilla. Dibujaba tres cruces con los dedos sobre la piel y acompañaba el movimiento con un rezo ininteligible. Así quedaba completado el santiguo de la abuela, la sanación posible por la vía del tacto y de la fe.

Mi barriga infantil siempre fue motivo de agobios. Solía tragarme los chicles, y ese accidente gargantil me provocaba todo tipo de dolores estomacales que solo lograba sanar con los santiguos de mi abuela. Cualquier cosa que se fuera sin permiso por la garganta, hacia la barriga, me angustiaba increíblemente. Me habían dicho que si una se tragaba las pepas de las chinas (son naranjas en el resto del mundo, pero aquí les llamamos *chinas*) le crecería un árbol de esa fruta por las orejas. En más de una ocasión pasé días tocándome a ratos los orificios de las orejas, aterrorizada ante la posible aparición de un tallo incipiente. Nunca se concretó la advertencia, pero al día de hoy, si me trago una pepa de cualquier cosa por accidente, regresa a mí la imagen de una niña con un árbol asomado por sus orejas. Más de una vez he tenido pesadillas en las que ando por el mundo con una tijera, recortándome a escondidas los tallos y hojas que me crecen. Aquella amenaza fue un conjuro; aquellas palabras me convirtieron un poco en esa raíz de un árbol que no germinaría nunca, pero que, no obstante, afloraría siempre en los confines de la imaginación. Un árbol unicornio, un árbol de verdad.

Con los años, los agobios vinculados a la panza se fueron tornando menos poéticos y má ordinarios. Siempre he sido un caso de manual de medicina, si de somatizar se trata. De manera que cada emoción —buena o mala— se podía convertir en un episodio largo, doloroso y dramático de disentería. Si el asunto eran los nervios, en mi barriga lo que podía encontrarse era todo un mariposario sobrepoblado e inquieto. Desde entonces, confirmé que el verdadero corazón estaba en la panza, que no había refrán más acertado que aquel de *hacer de tripas corazón*. La imagen mental que me provoca esa frase me daría algún consuelo, aunque la gente la use con otro significado.

Sabía que las tripas eran el hogar de las emociones, pero no sabía explicar el fenómeno. Eso debe ser lo mejor de la juventud: tener tantas certezas sin que medien explicaciones claras para ellas. Qué libertad tan extraña es esa del saber sin saber. Y qué suerte cuando se confirman las sospechas. Hace un año leí un libro titulado *Gut: The Inside Story of Our Body's Most Underrated Organ*, de la alemana Giulia Enders, donde esta expone cómo la ciencia contemporánea ha podido probar lo que siempre hemos sabido —¿sin saber?— cada vez que nos tocamos la panza para contener lo que estamos sintiendo. Qué gusto, pues, que la ciencia y la sospecha se encuentren en las tripas. Qué gusto confirmar al fin dónde es que está el corazón: ahí adentro entre las tripas, vivo, viscoso, lleno de jugos y sabores deliciosos, y lleno de pudrición y desechos.

Lo de somatizar tuvo su saldo. Durante mis veintes fui hospitalizada en casi una decena de ocasiones por todo tipo de gastritis e infecciones estomacales y de los intestinos. Al día de hoy, creo que me han hecho más endoscopías y colonoscopías que a todos los mayores de sesenta años que conozco. Todo lo bueno y lo malo era un asunto de la barriga. Recuerdo aquellos dolores que me hacían encorvar todo el cuerpo como una letra U. Recuerdo la resequedad en los labios por la deshidratación. Recuerdo comenzar a mirar la comida con sospecha, como si en cada bocado se escondiese un enemigo que, en poco tiempo, me atacaría.

Fue así como desarrollé una preferencia por una especie de *monodieta*. Por más de diez años, solo comía los *alimentos seguros* y excusaba como melindres mis detalladas especificidades con respecto a la comida. Me convertí en esa *particular* invitada a las fiestas y cenas de amigos. Tenía, sí, miedo a cualquier alimento que me pudiera llevar de regreso al hospital, a los vómitos y a la deshidratación, a esa pausa insoportable a la que obliga la enfermedad. No admitía carnes rojas ni mariscos de ningún tipo. Alimentos grasosos como la pizza, únicamente si durante el resto del día la alimentación había sido ligera. Pocos ingredientes siempre, nada de salsas ni guisos complejos, nada de fritangas ni mejunjes. Nada de comidas que vinieran en caja o que tuvieran procedencia sospechosa. Básicamente, una dieta del campo: café, pan, leche, viandas, huevos, frutas, arroz, habichuelas, un pedazo de pechuga de pollo de vez en cuando, caldos claros y poco más o menos. Y, sobre todo, comer de manera rutinaria y predecible. Como buena Tauro, derivo tranquilidad y placer de la rutina, de la estructura, de esa falsa sensación de seguridad que nos da el saber qué esperar.

Naturalmente, ir a restaurantes conmigo era un fastidio para mis acompañantes. Por años almorcé lo mismo, y en el mismo lugar, la mayoría de los días, en los trabajos que he tenido, pese al aburrimiento que esto causara entre mis compinches de labores. No recuerdo desde cuándo suelo desayunar exactamente lo mismo: café, un huevo y una tostada. El control de la dieta comenzó a sentirse como un control de la panza, que no era otra cosa que un control de las emociones.

Ese mismo afán controlador ocurría con respecto a las dimensiones y circunferencias de mi cuerpo. Mi cintura tenía que medir 25 o 26 pulgadas, nada más. La genética me ayudaba: si aumentaba algunas libras, casi nunca se acumulaban en las carnes de la cintura; podían rellenarse muslos, nalgas, cachetes y brazos, pero cintura jamás. Nunca fui delgadísima, pero siempre tuve lo que se dice una *cinturita bombón*. Yo, que me canto tan feminista, confieso que aún conservo la costumbre de medirme la cintura con la cinta métrica de mi otra abuela, la costurera, para confirmar con alivio que mi cintura siga siendo la misma, o determinar con espanto que es hora de aguantar el pico para recuperar el territorio que se me hace el más sensual de cualquier cuerpo, ese espacio de piel que divide la zona superior de la zona sur de nuestras formas humanas.

El hábito, la estabilidad, siempre fue para mí esa tabla de salvación en el océano de dudas que es la existencia. Así me hubiese pasado la vida, si no fuera porque hace un año exactamente, en medio de una intensa jornada de protestas que terminaron con la renuncia forzada del entonces gobernador de Puerto Rico, descubrí que estaba embarazada. El país maduraba, se crecía en las calles, mientras que yo, por otro lado, me veía obligada a reconocer que aún tenía miedo a crecer. Experimentaba el mismo miedo que viven muchas personas a ocupar espacio, a ser grandes, a hacerse notar a cada paso. Las ganas de achicar el cuerpo eran también las ganas de achicar la existencia, de que no se notara mucho mi presencia, para que no me intimidara tanto el escrutinio de los otros. El miedo a crecer, a expandirme, era el mismo de toda la vida: el miedo a permitirme ser lo que estaba llamada a ser. Mi máximo yo, mi máxima humanidad. No hay miedo más profundo que el miedo al interior más puro del yo.

Durante el primer trimestre de embarazo la *monodieta* se fue al traste. Me entraron unas ganas insaciables de comer los alimentos de mi niñez: cereal azucarado, espaguetis de lata, arroz chino grasoso y salado, dulces agrios, postres y todo tipo de alimentos empanados. Al ir a los restaurantes me debatía ante el deseo de probar más de un plato en el menú. Y aunque la mala barriga me hacía vomitar abundantemente, el apetito voraz no se detenía por nada del mundo. Comí con gusto y ganas, saboreé todo, y le permití a mi lengua maravillarse con cada bocado. Comí sin miedo por primera vez, y estoy segura de que fue así porque el hambre no era mía. Se sentía ajena desde ese momento tan primario en que mi hijo era apenas una semilla de vida.

Paradójicamente, con tanto miedo a crecer, me tocó gestar un bebé enorme, expansivo, contundente. Durante meses mi barriga se ensanchó sin pudores ni vergüenzas. Aumenté 40 libras durante el embarazo, todas en la barriga. La circunferencia de mi cintura alcanzó las 44 pulgadas, y mi hijo pesó 8 libras con 7 onzas al nacer. Llené cuatro recipientes de líquido amniótico cuando se rompió mi fuente, y mi placenta fue una de las más grandes que se hayan visto en el hospital. Fue así, grande y abundante la culminación de un proceso físico brutal.

Durante los últimos meses de gestación, la gente me miraba con pena, o me preguntaban imprudentes si mi panza era de gemelos. Padecí todos los síntomas y dolamas imaginables en el embarazo, pero ahí seguía mi barriga expandiéndose, demostrando su elasticidad y fuerza, expulsando mi ombligo hacia fuera y dejándose patear por una vida que desde ahí adentro me advertía de su voluntad y urgencia de crecer. Aquel ombligo que casi parecía una trompeta estaba atravesado, además, por esa línea negra que suele aparecer de norte a sur sobre la barriga de las mujeres embarazadas. A mí me salió oscurísima, como si me la hubiesen trazado con carbón. Era hermosa aquella barriga, insoportablemente hermosa. Cargar aquella panza fue el martirio más dulce que he experimentado en la vida. Se endurecía volviéndose roca en cada contracción y se ablandaba generosamente para que mi hijo pudiera crecer. Nunca tuve tanta hambre como entonces, tampoco me he sentido antes tan llena a la misma vez.

Hace casi cuatro meses que nació mi hijo, y poco a poco mi panza ha ido recogiendo velas. Mi cintura ahora mide 26 pulgadas en las mañanas, y 27, en las noches. Me sigo midiendo, aunque ya no batallo; más bien acepto que los hábitos suelen ser más poderosos que las ideologías. Alrededor de mi ombligo han aparecido los rastros de unas delicadas estrías que jamás vi surgir durante el embarazo, pero que ahora hacen de mi barriga una especie de sol naciente. Mi ombligo volvió a su lugar con gran dignidad, pero lo toco y me resulta obvio que es otro ombligo: ha visto el mundo, y se le nota. Atrás quedó la firmeza de los otros tiempos, para dar lugar a una flacidez amable que me recuerda que algo ha pasado, como los platos sucios durante la sobremesa. Corona mi panza desde su área inferior la cicatriz de mi cesárea de emergencia. Aún está oscura y enrojecida, aún me pica y me duele cada vez que llueve, aún siento sus alrededores adormecidos, aún me parece que se ríe de mí.

Tengo la panza cortada, ablandada y cansada. Tengo un hijo enorme que se alimenta de mí. Tengo un renovado apetito por la comida y por la vida. Tengo hambre, vieja y nueva. Tengo hambre, tanta hambre. Tengo un mapa de mi vida en la barriga; los rastros de lo que fue una casa, en el ombligo; la divina certeza de que nada está bajo control. Tengo en los brazos el prometido árbol que me crecería, sus hojas son de carne y hueso y su mirada es el mejor santiguo. Ya no estoy llena de mariposarios. La mariposa soy yo.

La huelga

Nicanor sigue creciendo a una velocidad que me espanta. Tuvimos que regalar algunos de los pañales de recién nacido y de etapa uno que le regalaron en el *baby shower* porque le quedaron muy pequeños demasiado pronto. Se le salía todo el asunto por los lados, y el reguero era descomunal. Por lo pronto, no hay olores objetables porque aún está a pura leche materna, pero ya le voy conociendo los ritmos de las tripas y la garganta. A veces estoy el día entero haciendo cálculos y registro de buches, vómitos, cagadas, meadas y de cuanta actividad fisiológica puedo observar. También me ha dado una especie de urgencia animal de espulgarlo todo. Me la paso examinando nariz, orejas y cuanto recoveco tiene el niño para asegurarme de que esté limpio. Por momentos, he querido hasta pasarle la lengua para lavarlo, pero me doy cuenta a tiempo y me contengo.

Mi bebé crece como si sintiese la urgencia de tener un cuerpo completamente funcional e independiente para de una buena vez ir a atender sus asuntos. Viendo que solo se ha alimentado de mi leche, me he llegado a preocupar: a los cuatro meses ya pesa casi veinte libras, y no da señales de desacelerar. O al menos eso pensaba yo.

Con la lactancia he tenido una relación muy extraña. Para empezar, diré que esto de alimentar a Nicanor exclusivamente con leche materna ha sido posible, creo, debido a la cuarentena obligada por la pandemia. Puedo decir que se me dio relativamente fácil. Aunque sí hubo dolor, sangrados y una mastitis al principio, Nicanor se pegó a la teta sin problema desde el día uno. O sea, que cuando empezaron los problemas no fue por él, sino por su mamá, que descubrió la Medela y comenzó a sacarse leche como si se le fuera la vida en ello. Aunque me dolía un poco, me daba paz saber exactamente cuántas onzas estaba tomando mi bebé, y sentir así que de alguna manera controlaba el proceso. Además, me dio mucho gusto dejar de oler a queso todo el día, pues lo pegaba a la teta solamente por las noches, una que otra vez en el día, y nada más. Me sentía un poco culpable por esto, pero a la vez lo estaba alimentando bien, y eso era lo importante. Además, esto hacía posible que mi mamá o mi esposo le dieran el biberón con mi leche, y eso me daba una cierta libertad para dormir un par de horas o para simplemente descansar. Me llevaba la Medela a cualquier parte, y sin problemas me extraía leche a la menor provocación. Lo usual era sacarme ocho onzas en cada sesión, y una vez llegué a extraer quince onzas de una sola vez, lo que equivale a tres potecitos de leche llenos.

Mi producción era generosa, pues, y en la nevera siempre había leche suficiente. Todo iba fluyendo hasta que un día, de repente, sin aviso previo ni señal ninguna, Nicanor no quiso pegarse más a la teta. Estaba por cumplir los cuatro meses, y no había manera de que quisiera chupar. Gritaba, me mordía, rabiaba desesperado. No quería teta, y punto.

Una amiga me dijo hace un tiempo que todo el mundo te prepara para las primeras veces, pero nadie te prepara para las últimas. El solo imaginar que mi bebecito no se iba a volver a pegar nunca a la teta me destrozó por dentro. Me dije todo tipo de cosas horribles. Yo, que había logrado la lactancia, ese vínculo con mi bebo, que a otras madres no se les da, lo había desperdiciado. Bueno que me pase por querer convertirme en esa cosa tan difícil que es ser una *madre trabajadora*; bueno que me pase por no darle más teta, por el egoísmo de detestar el sentirme pegajosa por la leche todo el día, por preocuparme por las manchas en la ropa. Bueno que me pase por esto, por aquello y por lo otro.

Llamé a la doula, y en una tarde ya había una red de mujeres que, lideradas por ella, me fueron guiando por teléfono. Sucede que Nicanor estaba en una huelga de lactancia. Obviamente, yo desconocía el término, pero resulta que es algo mucho más común de lo que una pueda creer. Hasta artículos de la Liga de la Leche me envió la doula, y poco a poco fui entendiendo lo que pasaba, mientras ella me explicaba cómo podríamos trabajarlo. Básicamente, se resume en una especie de proceso de búsqueda de la conexión, del modo más natural posible. Como un tipo de seducción. Así, pasé horas proporcionando el contacto piel con piel; le ofrecí la teta infinidad de veces, y si la rechazaba, no podía obligarlo, había que dejar que él mismo decidiera y no forzarlo. Como todo en la vida, que si se fuerza se espanta, si él iba a regresar a la teta lo haría a su ritmo y a su tiempo. Me bañé con él, me aseguré de añoñarlo mucho y de ofrecerle la teta siempre. Dejé de darle leche en botella para que no me asociara al biberón y empecé a explorar posiciones distintas. Y fue así como, luego de una semana de intentos, un buen día me lo puse en el pecho de frente y él solito se fue acomodando hasta que se pegó. No puedo describir el alivio que sentí. No hay vocabulario. Tampoco puedo señalar qué, de todo lo que intenté para que volviera, fue lo que funcionó. Y, ciertamente, no puedo explicar cómo es que se retoma un proceso como este. Quizás fue el despedirme de la posibilidad y el comprender que si volvía o no a lactar, no sería decisión mía; quizás fue que, en efecto, es un asunto de libertad.

Y como ha sido todo tan extraño, ahora resulta que llevo casi un mes de solo teta, y que es más fácil ahora de lo que nunca fue, y que ya no quiero saber de la máquina ordeñadora ni de limpiar tuberías, esterilizar bibís y lavar potecitos. Me duelen menos los senos, él tarda menos en lactar, se enlaza cada vez más fácilmente, y mi cuerpo se siente menos agotado. No sé cuánto más va a durar esto, pero aquí estamos, y de momento se siente bien.

Escribo esto sin intención de idealizar el asunto. La lactancia es una cosa fuertísima. Si no hubiese pandemia y no estuviésemos en cuarentena debido a ella, ni si quiera sé si hubiese podido lactar como lo he hecho. A una amiga que empezó a lactar, pero no pudo con el dolor, yo misma le dije: tu bebé necesita a una mamá feliz y necesita alimentarse, y uno es alimento de muchísimas maneras. Por mi parte, admito que odio sentir que no soy más que una teta, una fuente de alimento y nada más. Por eso también repudio la presión que hoy día se inflige sobre las madres para que lacten, sin tomar en cuenta que la experiencia de cada una es tan distinta, que no todas tienen apoyo ni tiempo, que la tolerancia al dolor en cada cuerpo es distinta y, sobre todo, que el cuerpo de una mujer es suyo y que ella tiene el derecho a hacer lo que quiera con él, sin dar explicaciones o buscar justificaciones. Celebro a aquellas que deciden no lactar simplemente porque no quieren, y apoyo a quienes libremente deciden hacerlo porque es su deseo. Creo que así debe ser, y que se hace imprescindible trabajar en la concienciación sobre ello.

Trabajar. Lo escribo para referirme a cualquier cosa excepto la realidad que tengo de frente, pero este libro está por acabarse, y es tiempo de afrontar el tema. ¿Alguien puede explicarme cómo es que se hace eso de convertirse en una *madre trabajadora*? Escribo esto hoy, el primer día en que ha llegado a casa una niñera para que yo pueda completar unas horas de trabajo los días en que mi mamá no puede encargarse de mi niño (la pobre, anda ayudando también a mi hermana con el cuidado de sus dos hijos). La joven niñera ha estado aquí apenas cuatro horas, y ya yo he llorado tres veces. De culpa. De nostalgia. De alivio. De más culpa. Y así.

Yo quiero escribir más, pero el llanto de Nicanor me paraliza las manos y me nubla el pensamiento. Yo quiero participar de foros, reuniones y entrevistas virtuales, pero me atraviesa una culpa descomunal saberlo ahí en el cuarto de al lado con otra persona. Racionalmente, acepto lo importante que es volver a sentirse más o menos como una misma (a lo que contribuye la vuelta al trabajo profesional), así como la realidad de que debo trabajar, precisamente, para darle a mi hijo una vida mejor. Comprendo también, y me lo repito conscientemente, que siempre he sido una mujer independiente y que la maternidad no me hará renunciar a mi identidad... Pero, ¿cuál es mi identidad ahora?

Alguna vez me he sorprendido a mí misma diciendo, desesperada, que estoy harta de hablar todo el día de babas y cacas y onzas y vómitos, que quiero analizar y discutir las cosas del mundo. Entonces me ataca la culpa porque Nicanor es un universo entero... y luego se me quita porque me digo que la maternidad no tiene que ser una muerte total, sino una pequeña muerte, una muerte de las que no aniquilan. Con una muerte pequeña se puede vivir un poco, queda algo de lo que una fue, y se es algo nuevo también, más vivo que antes, quizás. ¿Podrá convivir mi trabajo con los baberos? Sé que sí, aunque aún no sé bien cómo se hace.

Me repito que esto es pasajero, aunque ya la memoria lo ha hecho ya permanente. A fin de cuentas, la maternidad es también una cuestión de despedidas, un estado permanente de anticipada nostalgia de cuerpitos que cambian muy rápido y que se extrañan todo el tiempo. Es enamorarse de algo muy pequeño que, según crece, desaparece entre tus manos. Hace cuatro meses tenía un bebecito que me cabía en la mitad del brazo y apenas hacía algún sonido. Hoy tengo un bebé que me ocupa la mitad del cuerpo y balbucea y hace ruido y me mira a los ojos y se ríe a carcajadas y protesta, y yo me muero por él, pero me doy cuenta —con fascinación y un poco de horror— de que se ha tragado a aquel bebecito, a aquel minúsculo cúmulo de vida que nunca más volveré a ver. La maternidad es, pues, una despedida constante, un amor tan desprendido, precisamente porque todos los días te obliga a desprenderte del bebé que conociste para dejar que exista el niño, el adolescente, el hombre que será. La maternidad es un amor nuevo a diario, un amor puro porque se ama desde lo efímero del cuerpo.

No ha cumplido cinco meses, y ya he conocido tantas versiones de Nicanor. No han pasado cinco meses de su nacimiento, y se me han estremecido las versiones que sobre mí misma tenía. La maternidad es también amar a la que amanece aquí cada día y extrañar para siempre a la que se fue. La maternidad es nacer todos los días.

LAS AUTORAS

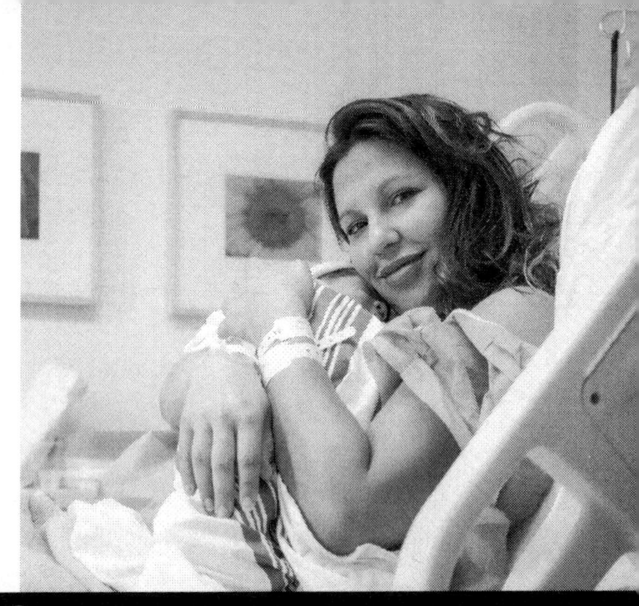

EDMARIS CARAZO

Foto por Naty Benítez Camacho

San Juan, Puerto Rico, 1984

Edmaris Carazo tiene un Bachillerato de Estudios Hispánicos del Recinto de Río Piedras de la Universidad de Puerto Rico. Es abogada licenciada, con un Juris Doctor de la Escuela de Derecho de la Universidad de Puerto Rico, títulos que solo utiliza en este tipo de biografías. Mantiene un blog desde el 2008: siemprejueves.com. Publicó su cuento "En Temporada" en la Antología de Cuentistas Emergentes en Puerto Rico: Cuentos de Oficio. Su novela: "El día que me venció el olvido", ganó mención honorífica en el certamen de novela del Instituto de Cultura en el 2013. Su cuento "Dentro y Fuera" fue publicado en la antología San Juan Noir de Akashic en el 2016. Publicó el cuento "Deseos Repetidos" en la antología "Cuentos de Huracán" (2018). También en el 2018 publicó una compilación de algunas de las crónicas de su blog: Siempre Jueves. Ha dedicado más de una década a la publicidad y el mercadeo digital. Actualmente maneja las comunicaciones de un programa sin fines de lucro. Desde el 27 de junio de 2019 cambió extra oficialmente su nombre a: "la mamá de Silvio".

ANA TERESA TORO

Foto por Ramón "Tonito" Zayas

Aibonito, Puerto Rico. 1984

Periodista y escritora. Columnista en medios puertorriqueños e internacionales como *El Nuevo Día*, *El País* de España, *ECOS* de Alemania, *Distintas Latitudes* de México, *Internazionale* de Italia, *Global* en la República Dominicana, *Anfibia* de Argentina y *The New York Times.* Es autora de la novela *Cartas al agua,* de los libros de crónicas *Las narices de los perros* y *El cuerpo de la abuela.* En el 2019 publicó un libro entrevista con el exgobernador Alejandro García Padilla (*Vida, Patria y Verdad*), un libro acerca de la historia de Taller Salud, la organización feminista en funciones más antigua de Puerto Rico (*Un cuerpo propio: 40 años de Taller Salud*) y es coautora del libro *Somos más: crónicas del Verano del 19* acerca del proceso de protestas que culminaron con la renuncia forzada del gobernador de Puerto Rico de Ricardo Rosselló. Sus textos han sido traducidos al inglés, al alemán, al italiano y compilados en antologías en Colombia, Venezuela, Puerto Rico, México, Argentina y Austria. Actualmente trabaja en la publicación de su primer poemario, así como de un libro de crónicas acerca de la historia política de Puerto Rico titulado "Éramos una colonia feliz". Junto a Pedro Reina y Silverio Pérez es conductora del podcast Marullo.

Made in the USA
Columbia, SC
18 November 2020

24810371R00081